El Milagro De
GUADALUPE

"Aparecio en el cielo una señal grandiosa: una mujer vestida del sol, con la luna bajo los pies y en su cabeza una corona de doce estrellas ...."

Edición Especial
Librerías Nueva SECAM

Por Francis Johnston

Edición en español:

ISBN: 968-7777-12-5

IMPRESO EN MEXICO 3,000 EJEMPLARES
OCTUBRE 1996

Libreria Nueva SECAM
Tel/Fax: 577-0048
Basílica de Guadalupe

El Milagro de GUADALUPE

Por Francis Johnston

traducciòn: Adriana Cordova Plaza

ediciòn: Eduardo Grepe Philp

CONTENIDO

Prefacio del editor

En nuestra inquietud por lograr un libro que explicara con claridad todo lo relacionado con "El Milagro de Guadaupe", encontramos una cantidad de folletos y documentos que describen y analizan los sucesos, pero pocos que explican no solamente las apariciones y el milagro de la imagen y las rosas, sino toda la historia de la conversión de México dentro del ambiente que existía en el invierno de 1531 así como todo lo que sucedió en los siglos subsecuentes hasta el día de hoy y cómo la devoción a la Santísima Virgen de Guadalupe ha llegado a muchas naciones.

Providencialmente, encontramos este libro de Francis Johnston, un ingles devoto de la Virgen, historiador y autor. En efecto, es un libro destacado que explica toda la historia, apoyado en documentos originales, hechos históricos y tradicionales y que ha permanecido en espera de su traducción y publicación en español por varios años. Es un libro sencillo y muy claro y, aunque se terminó de escribir en 1981, contiene todos los sucesos importantes relativos a la Virgen de Guadalupe, únicamente le falta mencionar la beatificación de Juan Diego y la visita del Papa Juan Pablo II en el año de 1990.

Aunque es relativamente corto, está escrito con una devoción excepcional e incluye todos los eventos históricos, documentos auténticos e investigaciones científicas sobre la milagrosa presencia de Nuestra Señora de Guadalupe.

Previo a su publicación, mostramos los borradores a algunos dirigentes de la iglesia, entre ellos, al Arzobispo Primado de México Norberto Rivera Carrera a quien causó gran gusto, al grado que nos permitió incluír como prólogo su mensaje emotivo del día 2 de junio de 1996.Cabe mencionar, que Monseñor Enrique Salazar, Director de Estudios Guadalupanos, nos otorgó su aprobación sobre los aspectos históricos y científicos que trata este libro, lo que nos brindó gran satisfacción y confianza.

Estamos seguros que este libro causará gran gozo y satisfacción a quienes lo lean y creemos que hará mucho bien en esta época tan falta de fé y llena de confusión e incertidumbre.

PROLOGO DEL ARZOBISPO PRIMADO DE MEXICO

NORBERTO RIVERA CARRERA

A TODOS LOS SACERDOTES Y FIELES DE LA ARQUIDIÓCESIS DE MÉXICO, Y A TODOS LOS MEXICANOS DE BUENA VOLUNTAD.

Un servidor de todos Ustedes, Trigésimo Cuarto sucesor del **Arzobispo Zumárraga**, con profundo interés y sensibilidad he seguido, participado y compartido, como todos Ustedes, las últimas difusiones de los medios de comunicación, según algunas de las cuales, y parafraseando al **Nican Mopohua**, resultaría que a nuestro Pueblo **«nomás le hemos contado mentiras, que nada más inventamos lo que le hemos siempre dicho, que sólo lo soñamos o imaginamos»** ([1]), que **la Aparición de Nuestra Madre Santísima de Guadalupe** no fue real, que no es, por tanto, verdadera su peculiar presencia entre nosotros a través de la milagrosa Imagen que para dicha nuestra conservamos...

Agradezco a muchísimos de Ustedes que, con toda razón y derecho, me han interpelado pidiendo un pronunciamiento claro y explícito como **Arzobispo de México**, y quiero hacerlo ahora con toda la fuerza que me permitan **el Señor y nuestra Madre Santísima**; pero también con toda la objetividad y caridad que Ellos mismos demandan de toda relación o discrepancia entre nosotros sus hijos.

1.- Ibidem, v. 86.

Yo, como millones de mis hermanos, me he sentido lastimado en mi sensibilidad de hijo y de mexicano; no en mi fe de católico, porque de ninguna manera me considero insultado o agredido porque otros hermanos míos se hayan servido de su derecho a discrepar en un punto en el que todos gozamos de plena libertad de conciencia para creer o no creer, según las razones que se nos expongan. Ruego, pues, me permitan exponerles una y otras, tanto mi sensibilidad como mis razones:

En cuanto a lo primero, a mis sentimientos de hijo y de mexicano, agradezco a **la Providencia** poder proclamar que creo que **María**, la doncella de **Nazaret**, la esposa de **José el carpintero, permaneciendo siempre Virgen, concibió por obra del Espíritu Santo y dio a luz a su Hijo unigénito, Quien es inseparablemente, -(*«hipostáticamente»*)-, Hijo eterno del Padre, Dios de Dios, luz de luz, Dios verdadero de Dios verdadero; que es por tanto Ella, verdadera Madre de Dios y Madre nuestra.** Así mismo creo, amo y profeso con todas las veras de mi alma que **Ella es, en un sentido personal y especialísimo, Reina y Madre de nuestra Patria mestiza**, que vino en persona a nuestro suelo de **México**, a pedirnos un templo para ahí **«mostrárnoslo, ensalzarlo, ponérnoslo de manifiesto, dárnoslo a las gentes en todo su Amor, que es Él, el que es su mirada compasiva, su auxilio, su salvación, porque en verdad Ella se honra en ser nuestra Madre compasiva, nuestra y de todos los hombres que en esta tierra estemos en uno, y de todas las demás variadas estirpes de hombres»** ([2]), no para quitarnos las penas y problemas que nos templan, porque todos los que deseemos ir en pos de su Hijo hemos de **«tomar su cruz y seguirlo»** ([3]); pero siempre contando con que cuando quiera que **«estemos fatigados y agobiados por la carga, Ella, a la par de Él, nos aliviará, pues su yugo es suave y su carga ligera»** ([4]), y para

---

2.- Ibidem, vv. 27-31.
3.- Mt. 16, 24, Mc. 8, 34.
4.- Mt. 11, 28.

eso Ella ruega que le permitamos **«escuchar nuestro llanto, nuestra tristeza, para remediar, para curar, todas nuestras diferentes penas, nuestras miserias, nuestros dolores.»** ([5]).

Comprendo y compadezco a todos aquellos de mis hermanos que no comparten esta seguridad. Y los compadezco no porque yo me crea bueno y mucho menos porque los considere inferiores o menos ilustrados, sino porque en verdad me duele que no disfruten de algo tan bello, tan maravilloso, del poder gozar la ilimitada seguridad y felicidad que brinda saber que, aun en nuestros peores dramas, **«es nada lo que nos espanta, lo que nos aflige, que nuestro corazón no tiene por qué temer enfermedades, ni cosa punzante, aflictiva.»** ([6]). En verdad, Hermanos míos todos, **«si pudieran conocer el don de Dios»** ([7]), y sé que de alguna manera lo conocen los millones de peregrinos del Tepeyac, cuán grata es la dicha de vivir su Amor expresado y entregado en el Amor de su Madre, que nos dice: **«¿No estoy yo aquí que soy tu Madre? ¿No estás bajo mi sombra y resguardo? ¿No soy la fuente de tu alegría? ¿No estás en el hueco de mi manto, en el cruce de mis brazos? ¿Qué más puedes querer?»** ([8]). Este amor de Madre nos impulsa, nos transforma, nos hace crecer, nos hace profundizar en nuestra fe, nos lleva a buscar el progreso de nuestra Patria por caminos de justicia y de paz y nos hace disfrutar nuestros logros aunque estos sean pequeños.

Su servidor tiene esa dicha, al igual que la inmensa mayoría de mis hermanos mexicanos, de experimentar este sentimiento de amor a mi Madre Santísima, en esta bendita advocación suya de **Guadalupe**, con tanta firmeza, con tan inconmovible seguridad filial, que no necesitaría de ningunas otras razones para así por siempre amarla y venerarla... pero le agradezco también que nos haya dejado suficientísimas prue-

---

5.- Nican Mopohua, v. 32.
6.- Nican Mopohua, v. 118.
7.- Jn. 4, 10.
8.- Nican Mopohua, v. 119.

bas, sólidas y seguras y, al mismo tiempo, ninguna tan evidente que nos despoje de **«la dicha de aquellos que no vieron, pero creyeron.»** ([9]).

Esa fe es un don, un don que no está en mi mano otorgar a nadie, sino sólo pedirlo al **Padre de las Luces**, como lo pido de corazón para todos mis hermanos. Lo que puedo hacer, y hago ahora con fraternal esperanza, es compartir mis razones con todo el que desee escucharme, aunque reconociendo que la diáfana claridad con que las vemos los creyentes es también un don que nos proporciona esa misma fe. Y mis razones son las normales, las usuales de nuestra seguridad de que realmente sucedió un evento pretérito, es decir: la tradición, los documentos, los hechos que tachonan y constituyen nuestra Historia. Quien se compenetra, con la profundidad que ya se ha hecho, de esa historia nuestra, no puede menos de preguntarse: ¿Cómo podríamos existir nosotros si su amor de Madre no hubiera reconciliado y unido el antagonismo de nuestros padres españoles e indios? ¿Cómo hubieran podido nuestros ancestros indios aceptar a **Cristo**, si Ella no les hubiera complementado lo que les predicaban los misioneros, explicándoles en forma magistralmente adaptada a su mente y cultura, que Ella, **«la Madre de su verdaderísimo Dios por Quien se vive, del Creador de las Personas, el Dueño de la cercanía y de la inmediación, del Cielo y de la Tierra»** ([10]), era también **«la perfecta Virgen, la amable, maravillosa Madre de Nuestro Salvador, Nuestro Señor Jesucristo?»** ([11]). Esos testimonios, están ahora reforzados mejor que nunca, puesto que, durante años, **muchos de los mejores talentos de la Iglesia, severos profesionales de la Historia y de la Teología**, los examinaron, discutieron, juzgaron y aprobaron con motivo del Proceso de Canonización de **Juan Diego**, y porque, en base a eso, el **Santo Padre** en persona lo refrendó. Y este Proceso no

9.- Jn. 20, 29.
10.- Ibidem, v. 33.
11.- Ibidem, v. 75.

sólo vino a confirmarnos lo que ya sabíamos, sino nos aportó nuevos y sorprendentes datos que empezamos apenas a conocer.

Estos conocimientos, tan novedosos algunos que están todavía muy poco difundidos, aun entre nosotros los sacerdotes mexicanos, no son exclusividad esotérica de pocos iniciados; están a disposición de todo el que se aboque al esfuerzo de estudiarlos. Si alguien se acreditara como serio investigador, y deseara examinar directamente en **Roma** todo el voluminoso expediente, puede contar con mi recomendación; pero no hace ninguna falta: Ya, con este motivo, han ido saliendo de la imprenta varios libros, que están al alcance de todos y que no temo recomendar como serios y sólidos, que resumen y difunden lo que se hizo, cómo se hizo y lo mucho valioso e inesperado que se descubrió. En nuestra **Universidad Pontificia**, de la que me cabe el honor y la responsabilidad de ser **Vice Gran Canciller**, se imparte un curso anual sobre este tema, al que es bienvenido todo aquel que esté genuinamente interesado.

En papel aparte cuidaré de que se les amplíen estos datos, pero ruego me sea permitido dejarles consignado esto mismo que aquí he expuesto, repitiéndolo en la forma que mi corazón de mexicano, de hijo, de hermano, de padre Arzobispo sucesor de **Zumárraga**, más vivamente siente que puede entregarles todo cuanto soy y deseo compartirles: mis sentimientos, mis convicciones, mis razones, mis anhelos... en una palabra: **mi plegaria con todos Ustedes y por todos Ustedes a nuestra Madre Santísima:**

«¡Dueña mía, Señora, Reina, Dueña de mi corazón, mi Virgencita!» ([12]) Yo, **«tu pobre macehual... cola y ala, mecapal y parihuela»** ([13]), pero a quien tu misericordia confió el cuida-

---

12.- Nican Mopohua, v. 50.
13.- Ibidem, v. 55.

do de tu bendita Imagen y el gobierno de esta porción tan amada de tus hijos, vengo «**para hacerte saber, Muchachita mía, que está muy grave tu amado pueblo, una gran pena se le ha asentado**» ([14]); que entre las muchas crisis con las que el amor de tu **Hijo divino** desea purificarnos, se ha inquietado ahora porque ha creído oír que quizá tu Aparición no fue real, que quizá no sea verdadera tu presencia milagrosa entre nosotros, que quizá no existió tu elegido, Juan Diego, por quien quisiste llegar a nosotros los moradores de estas tierras.

No vengo, sin embargo, **Señora y Niña mía**, a quejarme de nada ni de nadie. Muy al contrario, **vengo a agradecerte**, en nombre de mis hermanos y mío, este maravilloso favor que nos otorgas de poder clamar con todo el vigor de nuestro corazón de hijos, que no sólo creemos en Ti y te veneramos como **Madre de Dios y nuestra**, sino como **Reina y Madre de nuestra Patria mestiza**; que por supuesto que es real que Tú viniste a este suelo tuyo para «**ser en verdad nuestra Madre compasiva, nuestra y de todos los que en esta tierra estamos en uno, y de las demás variadas estirpes de hombres, los que te amamos, los que te buscamos, los que tenemos el privilegio de confiar en ti...**» ([15]).

Permite, pues, **mi Muchachita, mi Virgencita bienamada**, que a través de mi boca resuene la voz de todo mi Pueblo, dándote mil gracias por ser todo lo que eres. Permite que me escuchen todos mis hermanos, que resuenen nuestras nieves y montañas, nuestras selvas y bosques, lagos y desiertos con el eco de mi palabra, proclamando que Yo, **tu pobre macehual** pero también **custodio de tu Imagen** y por ello portavoz de tus hijos todos, creo, he creído desde que tu Amor me dio el ser a través del de mis padres, y, con tu misericordia espero defender y creer hasta mi muerte en tus Apariciones en este monte bendito tu **Tepeyac**, que ahora has querido poner bajo mi cus-

---

14.- Ibidem. vv. 111-12.
15.- Ibidem. vv. 29-31

todia espiritual; que, junto con mis hermanos, las creo, las amo y las proclamo tan reales y presentes como los peñascos de nuestros montes, como la vastedad de nuestros mares, más aún, mucho más que ellos, pues **«ellos pasarán, pero tus palabras de Amor no pasarán jamás»** ([16]).

Esta proclamación que te agradezco me concedas hacerte, no es un favor que te hago, es un don tuyo, pues «**nadie puede siquiera llamar a tu Hijo ¡Señor! si no es por el Espíritu Santo»** ([17]), y por ello, ¡Mil Gracias, **Madre amadísima e Hijita nuestra la más pequeña!**; Gracias por este privilegio de poder creer!;

¡Gracias porque esta fe que nos regalas puede ser al mismo tiempo ciega e ilustrada! ¡Gracias por habernos dado tantas pruebas de tu venida a nuestro **Tepeyac**, y porque ninguna de ellas sea tan evidente que nos despoje del poder tributarte esa fe filial nuestra ([18]); pero gracias también de que sí podamos ver tu imagen amadísima! **«¡Sabemos a Quién hemos creído!»** ([19]). **«¡Le hemos creído al Amor... al Amor que nos amó primero!»** ([20]);

¡Gracias por **Juan Diego**, a quien nos honramos en reconocer, como a tu antepasado **Abraham**, por **«nuestro verdadero padre en la Fe»**; ¡Gracias por la fe de él, que deseamos hacer siempre nuestra, tan grande que Tú lo proclamaste **«tu embajador, en quien absolutamente depositaste tu confianza»** ([21])!;

¡Gracias por la desconfianza de mi venerado antecesor **Zumárraga**, que te brindó ocasión de darnos tus flores y tu

---

16.- Mc. 13, 31; Luc. 21, 33, Mat. 24, 35.
17.- Cor. 12, 3.
18.- Cfr. Jn. 20, 29.
19.- 2 Tim., 1, 12.
20.- 1 Jn., 4, 16; 4, 10.
21.- Nican Mopohua, v. 139.

imagen, y gracias por la confianza férrea que me concedes hoy a mí, su sucesor, para poder compartirla con todos mis hermanos!;

¡Gracias por esas flores que hiciste brotar en nuestro suelo, helado y árido entonces, que tan elocuentes fueron para nuestros padres indios!;

¡Gracias por el primer milagro con que Tú, **Salud de los enfermos**, favoreciste a **Juan Bernardino** y sigues favoreciendo a todos los enfermos y afligidos; gracias por tu nombre de **Guadalupe**, con el que le pediste que te invocáramos, pues con él los hermanaste con nuestros padres españoles, que así te invocaban siglos hacía en tu santuario de los montes de su **Extremadura**!;

¡Gracias por haber inspirado a tu hijo **Valeriano** el legarnos el bellísimo relato de tu venida a nuestro suelo, tan exquisito y profundo que apenas ahora empezamos a comprenderlo!;

¡Gracias por todas las menciones que tus hijos, nuestros padres indios, dejaron en sus códices y anales; gracias por las dudas, titubeos y aun choques que consignaron nuestros padres españoles!;

!Gracias por todos los escritos que inspiraste durante todo el tiempo que formamos parte política de la España; gracias por las investigaciones que se efectuaron respecto a tu presencia; gracias por los siglos que nos has permitido rendirte nuestro amor en tu «casita **sagrada**» del **Tepeyac**!;

¡Gracias por las dudas que, siglos después, permitiste surgieran de tu llegada a nosotros, que nos permitieron corroborar aun más firmemente la verdad histórica de ese don de tu amor; gracias por las intrigas en torno a tu Coronación, hace un siglo, que hicieron que **Roma** te estudiara y proclamara oficialmente su aprobación!;

!Gracias por haber inspirado y ayudado a mi amado antecesor, el **Cardenal Corripio**, a incoar la Causa para examinar y probar la realidad, la Santidad y el amor con que nosotros, tu Pueblo, hemos siempre venerado a **Juan Diego, «tu embajador, muy digno de confianza»**!;

¡Gracias por la profesión de amor y de fe que han hecho mis hermanos Obispos a nombre de todo el Pueblo Mexicano y en unión con Juan Pablo II quien devota y continuamente te invoca y te venera!;

¡Gracias por el escrupuloso cuidado que puso **Roma** en investigarlo; gracias por los obstáculos y objeciones que la responsabilidad de nuestros hermanos quiso aportar; gracias por la luz con que pudieron ser resueltos!;

!Gracias por las incontables horas de trabajo en el proceso; gracias por los miles de actas en que se consignó la deposición de todos los que intervinieron, tanto en pro como en contra; gracias por las montañas de libros y documentos que pudieron revisarse; gracias por los oficiales de la **Congregación de los Santos** que tanto cuidaron, examinaron, objetaron y exigieron; gracias por los **Consultores Historiadores y Teólogos**, que tantas horas gastaron en revisar todo lo actuado; gracias por la **Comisión de Cardenales** que dio su aprobación final; gracias por la aceptación de tu hijo **Juan Pablo**, que nos honró viniendo en persona a publicarla; gracias por el privilegio que nos otorgó de no sólo declararlo **Beato,** sino de aceptar y endosar la veneración que siempre le tuvimos...!

¡Gracias por tantos nuevos y asombrosos conocimientos que nos has otorgado descubrir! ¡Gracias por la libertad que nos otorgas a tus hijos para creer y para no creer en tu Aparición; gracias por la honestidad de los que no creen, y gracias por tu generosidad en concedernos creer a todos los que te invocamos con tu nombre dulcísimo de **Guadalupe**!

¡Gracias por los trabajos de construcción y mantenimiento de tu nuevo Santuario que por tantos años ha querido

encabezar el Señor Abad de la Basílica y gracias por su disponibilidad y obediencia que le ha ofrecido al Obispo a quien Tú encomendaste la custodia de tu imagen!;

¡Gracias por las reacciones tan maravillosas de fe que han tenido tus hijos y también aquellos que sin compartir nuestra fe tienen profundo respeto a nuestra historia, a nuestra cultura y a nuestra identidad. Pero también gracias porque estos acontecimientos han desenmascarado a aquellos que quisieran vernos divididos, sin fe y sin esperanza, sin símbolos patrios y en camino de absorción por otras culturas y otros poderes!;

Permite, pues, que **mi corazón en amarte eternamente se ocupe, y mi lengua en alabarte, ¡Madre mía de Guadalupe! ¡Dueña mía, Señora, Reina, Dueña de mi corazón, mi Virgencita! haz que nunca angustie yo con duda alguna tu rostro, tu corazón; que con todo gusto vaya siempre a poner por obra tu aliento, tu palabra, que de ninguna manera lo deje jamás de hacer ni estime por molesto el camino»** ([22]), que sea siempre un fiel custodio de tu templo y de tu Imagen; que sea **«tu querer, tu voluntad»** que podamos ver pronto canonizado a tu **«xocoyotito, al más pequeño de tus hijos» Juan Diego**; que mi pobre vida, mi obra, y -si **«por ventura llegara a ser digno, ser merecedor»** ([23]) de testimonio tan excelso- también mi sangre, sean una proclamación del rendido amor y fe que te profesamos y profesaremos siempre «los más pequeños de tus hijos», tus hijos mexicanos.

+ NORBERTO RIVERA CARRERA
ARZOBISPO PRIMADO DE MÉXICO

Solemnidad de la Santísima Trinidad.

México - Tenochtitlan, Domingo 2 de junio de 1996,

22.- V. 63.
23.- Ibidem, v. 9.

PREFACIO DEL AUTOR

Permanece como una de las grandes paradojas de nuestra era ,el hecho de que,mientras la creencia en la existencia de Dios parece estar en un descenso general, probablemente nunca antes en la historia haya existido evidencia tan concreta, científicamente demostrada de Su existencia. La misma tecnología que ha negado la existencia de un Ser Supremo ha servido para confirmarla, de acuerdo a investigaciones y observaciones conducidas bajo los términos más rigurosos que puede imponer la ciencia moderna. Para citar algunos ejemplos recientes: la confirmación médica de curaciones instantáneas de enfermedades terminales, contrarias a todas las leyes científicas conocidas, que ocurren en Lourdes, Fátima, Banneux y algunos otros santuarios; el cuerpo incorrupto de St. Charbel Makhlouf, el gran santo de la Misa, que continúa transpirando sangre y agua, 83 años después de su muerte y que ha sido confirmado por la ciencia médica; el extraordinario milagro Eucarístico en Lanciano, que fue confirmado por reconocidos científicos en 1971 después de una exhaustiva investigación; y los dolorosos 13 ½ años de la Sierva de Dios, Alexandrina da Costa (1942-1955), que las autoridades médicas del más alto rango certificaron su subsistir únicamente con la Eucaristía como "científicamente inexplicable".

Este libro relata otro de estos prodigios - la sagrada imagen de la Virgen María de Guadalupe, Ciudad de México y su origen sobrenatural demostrado científicamente en la década de los 60's. Aquí se ha realizado una minuciosa y actualizada recopilación de este maravilloso relato a la luz de la historia y de la ciencia moderna, ya que es relativamente poco lo que se conoce de los asombrosos descubrimientos en años recientes sobre la sagrada imagen. Como material de referencia, me he apoyado en gran parte en el libro sobre este tema del Fr. Lee publicado en 1896,que, además de ser excelente, es fácil de entender gracias a sus numerosas referencias a volúmenes españoles de hace cientos de años, los cuales he indicado en este libro como fuente de investigación. Asimismo, he utilizado la mayoría de los libros que aparecen en la bibliografía. Para que este trabajo lograra una perspectiva de los años 1980s, analisé mucho material nuevo, incluyendo los recientes experimientos sobre las imágenes en el ojo de la sagrada pintura, realizados por una de las mayores autoridades reconocidas en el estudio de Guadalupe, el Dr. C. Wahlig, O.D. de la ciudad de NuevaYork .; la investigación de 1979 con radiación infrarroja de la sublime imagen, realizada por el Profesor Philip Callahan de la Universidad de Florida y por el Profesor Jody Smith de Pansacola, Florida y, particularmente de los escritos del Hermano Bruno Bonnet-Eymard ,autoridad reconocida en Francia sobre el estudio de la Virgen y quien , en octubre de 1980, refutó brillantemente las objeciones hechas sobre Guadalupe por ciertos intelectuales agnósticos.

Al escribir el diálogo del Gran Evento en 1531, he tratado de seguir tan fielmente como fue posible, la secuencia de las apariciones aunque en ciertos pasajes me he otorgado el derecho de creación y expresión libre que tenemos los autores , esbozando las reflexiones interiores de Juan Diego y del Obispo Zumárraga, para darles una mayor realidad a estos personajes históricamente distantes. Asimismo, corregí en varias ocasiones la traducción original de la historia, realizada por Don Valeriano con el fin de darle un sentido contemporáneo y mas significativo.

Una de las razones de mayor importancia por lo que escribí este libro, es la existencia de una mala interpretación, altamente sostenida, de que el culto a Nuestra Señora de Guadalupe, o más en particular, a Nuestra Señora de las Américas, atañe exclusivamente al Nuevo Mundo ya que Ella apareció en el centro geográfico de las Américas en 1531, en la época que se estaban colonizando estas vastas regiones, proclamándose a sí misma como " su Madre Misericordiosa, la Madre de todos aquellos que viven unidos en esta tierra". Sin embargo, debemos darnos cuenta de que Ella también se anunció como la Madre Misericordiosa "de toda la humanidad, de todos aquellos que me aman, de todos aquellos que lloran, de todos aquellos que confían en mi ...".

Es mi profunda esperanza que este libro ayudará a rectificar este desafortunado malentendido y atraiga a un creciente número de nuevos devotos a Sus amorosos brazos - los mismos brazos que una vez cobijaron a Cristo y que llegaron a nosotros desde los cielos de Fátima en 1917, ofreciendo salvarnos de la catástrofe con el solo hecho de tomarlos con fiel amor y confianza, aceptando Su mensaje de oración y penitencia. Este libro, que escribí en parte pasando por un momento de pruebas dificiles personales, es un tributo al poder de apoyo que otorgan esos brazos maternales a los cuales, nunca he podido expresar la gratitud que siento.Asimismo, este libro debe ayudar a convencer al lector de que la única imagen verdadera existente de la Madre de Dios es El Retrato Sagrado de Nuestra Señora en la Ciudad de México - el equivalente, si se me permite expresarlo, del Sudario Sagrado de Turín.

Francis Johnston,

12 de enero de 1981.

I.

LA CONQUISTA DE MEXICO

La historia de Guadalupe comienza realmente con la llegada a México de las fuerzas españolas en 1519 bajo las órdenes de su brillante comandante el Capitán Hernando Cortés. Mientras los soldados penetraban en el vasto interior de este país, atravezando arenosos desiertos, enormes y verdes planicies surcadas por escarpadas montañas , profundos desfiladeros y destellantes ríos, quedaban sorprendidos del alto nivel cultural alcanzado por la civilización Azteca. En muchos aspectos los estándares de los Aztecas se asemejaban al de los Españoles.

El país, con unos 10 millones de habitantes, estaba dividido en 38 provincias pobladas por varias tribus, las cuales habían sido sometidas e incorporadas al Imperio Azteca. Cada provincia estaba bajo el mando de un gobernador, y estos dignatarios, junto con los nobles principales y bajo la autoridad del Emperador en Tenochtitlan (que se convirtió en Ciudad de México después de la conquista española), controlaban el ejército, recaudaban impuestos y dirigían el intercambio comercial. Existían expertos matemáticos, astrónomos, arquitectos, físicos, filósofos, artesanos y artistas, además el sistema judicial mostraba un notable parecido con el existente en muchos países europeos. La educación iniciaba a una edad muy temprana, aunque la lectura y escritura estaba limitada a un sistema pictórico, similar a los antiguos jeroglíficos egipcios.

A pesar de estos impresionantes logros, los Aztecas se encontraban sorprendentemente atrasados en algunos campos del conocimiento. Desconocían las leyes físicas que habían sido demostradas por los Griegos 2,000 años antes. Sus matemáticos no tenían conocimiento sobre la ciencia experimental; tampoco estaban familiarizados con la rueda, el arado o el arco estructural .

LA CONQUISTA DE MEXICO

Por lo general, los pueblos Aztecas eran construídos alrededor de un templo de piedra de forma piramidal en el cual llevaban a cabo sus ceremonias religiosas. En un lugar cercano, se encontraba una gran plaza en la cual se hacían reuniones comunales y se concentraba el mercado, invariablemente rodeado por residencias lujosas de piedra pertenecientes a la clase alta, con habitaciones espaciosas y patios interiores. En algunos pueblos los españoles encontraron que las construcciones estaban edificadas sobre plataformas elevadas de madera como protección contra inundaciones. Los linderos de la ciudad estaban habitados en su mayoría por las clases bajas,y sus casas estaban construidas con techos de paja, paredes de zarzos cubiertas con lodo y no tenían ventanas. En esa época , existían varias ciudades densamente pobladas en el país; tan solo Tenochtitlan contaba con 300,000 habitantes.

Como muchas naciones contemporáneas de Europa y Asia, los Aztecas desarrollaron un rígido sistema de castas. El nivel más alto estaba formado por el Emperador, los nobles principales, los sacerdotes principales y los jueces. Después estaban los nobles de rango menor quienes servían como administradores. Abajo de éstos se encontraban los ciudadanos, que equivalen a nuestra actual clase media y constituían la mayor parte de la población. Enseguida, venían los trabajadores manuales y los muy pobres, y al final de la escala social estaban los esclavos

La principal industria del país era la agricultura y el maíz era la cosecha más importante, habiendo otras de menor importancia como el frijol, tomate y varias frutas además de algodón y tabaco. La planta del maguey era especialmente valorada ya que de ésta se derivaban muchos productos útiles. Fermentaban la savia y producían una bebida parecida a la cerveza (pulque), convertían las espinas de maguey en agujas, y su fibra podía retorcerse para formar cordones y cuerdas o entretejerlas para lograr un material adecuado para vestir. Debido a la importancia básica que tenían el maíz y el maguey para la economía azteca, estas plantas eran adoradas por ellos como diosas.

Esta civilización, aparentemente avanzada, estaba opacada trágicamente por una religión que se hundía en el peor exceso de la superstición. Los rituales aztecas nacieron de creer en aquellas fuerzas naturales que beneficiaban a los seres humanos y rechazaban aquellas que les eran malignas.

La mayoría de estas fuerzas, tales como el sol, la lluvia, el viento, el fuego, etc., eran personalizadas como dioses y diosas, y los ídolos de estas deidades eran adorados en los templos piramidales.

Los aztecas se sentían obligados a ofrecer a sus dioses sacrificios humanos, ya fuera para atenuar calamidades físicas tales como pestes o terremotos o para evitar alguna desgracia. Por ejemplo, ya que los aztecas se consideraban la "raza del sol" se sentían impulsados a ofrecer a esta divinidad una dosis regular de sangre humana, por el miedo de que éste dejara de aparecer en el horizonte.

Las víctimas de estos sacrificios eran frecuentemente los esclavos o los prisioneros de guerra y el método de inmolación era en extremo aterrorizante. El sacrificio realizado por sacerdotes vestidos de negro y cabello largo quienes al cantar arrancaban el corazón de víctimas , y aún peores horrores que no fácilmente pueden ser expresados con palabras. Las matanzas se llevaban a cabo con una frecuencia considerable y en ocaciones se realizaban en un solo día miles de sacrificios ya que la desesperación de no satisfacer a los dioses desencadenaba una locura que collevaba a la masacre. Esta hecatombe sangrienta era realmente un horrible trastorno del sacrificio Cristiano, en el que la sangre derramada por las desventuradas víctimas era vertida para redimir la vida de un dios, y la contínua aplicación de este sacrificio humano se llevaba a cabo como un deber solemne por el bienestar de la gente.

Los sacrificios se realizaban en los grandes templos de piedra de cada pueblo o ciudad. El dios más importante era Quetzalcoatl, la serpiente emplumada, a quien dedicaban cada año muchos sacrificios. Curiosamente, este nombre se aplicaba también a un gran profeta que supuestamente apareció en el pasado difuso y predicó una semblanza de la Cristianidad que, gradualmente llegó a entremezclarse con los principios del paganismo. Se creía que este profeta regresaría algún día para redimir la sociedad azteca. Otro de los dioses principales que vale la pena mencionar era Huitzilopochtli, dios de la guerra. Se construyó en el pueblo de Tlatelolco, cerca de Tenochtitlan, un pavoroso templo en su honor, donde los españoles encontraron un verdadero cementerio sepulcral. Durante la inauguración de este templo en 1487y bajo el gobierno del Emperador Azteca, Auitzotl, fueron sacrificados en sus altares apróximadamente 20,000 guerreros, para apaciguar a esta monstuosa divinidad. Posiblemente es significativo, que la localización de este edificio jugara un importante papel cuando la mano curativa de la Cristianidad empezara a expandirse en estas tierras.

cabeza de Quetzalcoatl

la serpiente emplumada

huitzilopochtli

dios de la guerra del sol

coatlicue

madre de huitzilopochtli

En vista de lo que acontecería más adelante, vale la pena mencionar aquí a la gran Diosa Madre, Tonantzin, cuyo templo estuvo alguna vez en la cima de una pequeña colina llamada Tepeyac, cerca de seis millas al norte de Tenochtitlan. Una estatua de esta diosa se encuentra en el Museo de Antropología de la Ciudad de México . Al igual que los ídolos de otras divinidades en el mismo museo, Tonantzin poyecta un semblante de sufrimiento impenetrable desde sus ojos sin vida, como si estuviera en luto perpetuo por la propia matanza de sus hijos. Aún el ídolo del dios de la alegría, Xochipilli, tiene una expresión de profunda desolación. No sin razón los misioneros españoles que llegaron a estas tierras después de los conquistadores, se refirieron a este credo como una indicación de existencia satánica.

tonantzin

la diosa madre

xochipili

diosa del placer

Durante la invasión española, el Emperador de México era el gran Moctezuma II (Moctezuma Xocoyotzin) quien había ascendido al trono en 1503. Moctezuma era un hombre filosófico y muy supersticioso, inclinado a la brujería,y con tendencia a reinar con una violenta tiranía. Las tribus sujetas al imperio estaban seriamente resentidas con su cruel reinado y surgían frecuentemente rebeliones. Sin embargo, la sombría naturaleza de Moctezuma también albergaba un profundo respeto por profecías y predicciones las cuales parecieron multiplicarse al enterarse de los extraños barcos vistos a lo lejos en el mar. Con profunda tristeza escuchó los presagios de sus adivinos quienes afirmaban que su imperio sería eventualmente derrotado por hombres blancos que vendrían a través del oceano

penacho de Moctezuma II Xocoyotzin

emperador de Mexico

En 1509 la hermana de Moctezuma, la Princesa Papantzin, tuvo un sueño extraordinario que, aparentemente, tuvo una influencia decisiva sobre el fatalista Emperador. En ese año, la Princesa estuvo seriamente enferma y cayó en coma. Pensando que estaba muerta, los mexicanos la enterraron en una tumba, pero tan pronto lo habían hecho se sorprendieron al escuchar sus gritos solicitando ser liberada del ataúd. Después de recobrarse, ella relató la esencia de un sueño profundo que acababa de experimentar. En el sueño, un ser luminoso la llevaba hacia la orilla del ilimitado oceano, y mientras ella contemplaba el mar, se materializaron varios barcos con cruces negras en sus velas que eran iguales a las que su guía presentaba en la frente. La Princesa fue informada que estos barcos traían hombres de una tierra distante, que conquistarían el país y darían a los Aztecas el conocimiento del Dios verdadero. Moctezuma intranquilo, creyó adivinar la ruina de su Imperio en este sueño y posiblemente, el destino de México fue sellado años antes de que los primeros soldados españoles con sus brillantes armaduras, tocaran tierra al descender de sus galeones anclados

Los mexicanos se atemorizaron con los estruendos de los cañones y mosquetes así como con las tácticas de batalla extraordinarias que utilizaban los Españoles atacantes. Su caballería parecía invencible para una raza que jamás había visto un caballo. Para asegurarse que los soldados blancos eran realmente los que su hermana había visto en su sueño, Moctezuma hizo que le trajeran uno de los cascos españoles y pudo comprobar por sí mismo que estaba adornado al frente con la fatídica cruz negra. Consultó con sus nobles y después de una resolución dividida, decidieron tratar de comprar a Cortés con suntuosos regalos.* Mientras tanto, las fuerzas españoles habían encontrado un gran número de tribus que detestaban el mando de hierro Azteca y anhelaban derrotarlos. Rápidamente, Cortés se hizo cargo de la situación y prometió ayudarlos si unían sus fuerzas con él. Muy pronto, un gran ejército de españoles y mexicanos se abría paso a través del terreno escabroso hacia Tenochtitlan. Después de cada victoria, persuadían a sus enemigos para que unieran fuerzas con ellos en su marcha hacia la capital Azteca. Moctezuma se dió cuenta que la balanza del destino se inclinaba inexorablemente en su contra, y que su única opción era esperar la llegada de Cortés y negociar un arreglo. Los españoles y sus aliados indígenas avanzaban cuidadosamente, conscientes de la reputación de traidor que tenía

Moctezuma y, asimismo, Cortés observaba con mucha cautela a sus nuevos aliados, ya que no podía estar totalmente seguro de su lealtad.

En esa época, Tenochtitlan estaba rodeada por grandes lagos y tres calzadas como vías de acceso. Díaz del Castillo, uno de los españoles que vinieron con Cortés, nos dejó un relato gráfico sobre la primera vez que los conquistadores, contemplaron la capital de fábula de Moctezuma . " Observando tan maravilloso espectáculo, no sabíamos si lo que aparecía ante nosotros era real, ya que en tierra, había grandes ciudades y en el lago muchas otras, y el mismo lago estaba lleno de canoas, y en la calzada habían varios puentes espaciados y al frente, se levantaba la gran Ciudad de México y nosotros, los españoles....... no sumabamos más de 400 soldados."

TENOCHTITLAN

Las orillas de la isla estaban rodeadas de vegetación con casas blancas, jardines y patios. La propia metrópolis estaba entretejida con canales donde cruzaban puentes, algo así como la Venecia de ahora, mientras que eran pocas las calles y los zócalos. Templos enormes se elevaban hacia el cielo como pirámides truncadas, palacios dorados y majestuosos edificios públicos se alzaban orgullosos entre mercados, zoológicos, aviarios y jardines de coloridas flores. Los españoles se sintieron maravillados por el esplendor exterior de este pináculo de la civilización azteca.

El 8 de noviembre de 1519, en una pomposa ceremonia, Cortés conoció a Moctezuma en presencia de sus nobles y grandes jefes. Un aire de desconfianza cubría su encuentro; Moctezuma había planeado que los españoles estuvieran acuartelados en uno de los más suntuosos palacios de la ciudad. Por varios días se llevaron a cabo negociaciones y todo parecía marchar correctamente. Pero Cortés y sus hombres estaban totalmente conscientes de su vulnerabilidad. Con una palabra de Moctezuma, los españoles serían aniquilados en los angostos límites de la ciudad, donde no había espacio para desplegarse contra los miles de soldados aztecas. Rápidamente, la desconfianza se convirtió en enemistad y los españoles decidieron que la mejor forma de defensa era tomar la iniciativa. Para asegurar la autoridad española y eliminar la influencia del emperador, Cortés arrestó a Moctezuma manteniéndolo como su rehén. La reacción del pueblo fué de gran cólera y un frenético llamado a las armas. Una carástrofe parecía inminente.

En tan crítico momento, Cortés recibió el mensaje de que se había amotinado uno de sus comandantes en la costa. Acompañado por un pequeño grupo de hombres a caballo, dejó la ciudad para reprimir la sublevación. Durante su ausencia, la población de Tenochtitlan se levantó iracunda contra los españoles. Cortés regresó cuando la lucha estaba en su punto más alto y después de una batalla desesperada, durante la cual Moctezuma fue asesinado, los españoles escazamente pudieron escapar de la ciudad. Muchos de sus hombres murieron en la batalla o fueron sacrificados en los templos aztecas.

Pero Cortés no había terminado. Reagrupó a su agotado ejército, y fuertemente reforzado por sus aliados indígenas, finalmente, triunfó tomando la ciudad con ráfagas de cañones. El Imperio Azteca se desintegró rápidamente,y como consecuencia,México fue incorporado a la corona española. Cortés inició entonces, la monumental labor, de transformar la cultura azteca, con siglos de antiguedad, en una cultura europea.

Uno de los primeros pasos del conquistador, fue la demolición de los sangrientos templos, edificando iglesias católicas en su lugar. El grandioso templo de la serpiente emplumada, Quetzalcoatl, fue reemplazado por la iglesia llamada Santiago de Tlatelolco, la cual jugaría un papel significativo en los dramáticos eventos venideros. Los misioneros recorrieron el país abriendo iglesias, escuelas y hospitales, pero las profundas raíces del paganismo parecían muy difíciles de erradicar ya que eran muy pocas las conversiones al Cristianismo.

En 1524, Cortés partió para Honduras y, durante su ausencia, su sucesor, inventó falsos testimonios en su contra ante el Emperador de España, Carlos V. Sin embargo, el emisario encontró virtualmente imposible sostener la volátil situación del país, y en 1528 fue reemplazado por cinco administradores conocidos como la Primera Audiencia, fue entonces cuando Cortés regreso a España para limpiar su nombre y recibir los merecidos honores para un general victorioso.

Para contrarrestar la autoridad de la Primera Audiencia y para proteger al pueblo mexicano de los abusos cometidos por los conquistadores, Carlos V decidió nombrar un obispo para el país, otorgándole considerables poderes. Después de una cuidadosa deliberación, eligió al Prior Zumárraga del Monasterio Franciscano de Abrojo en España, un sacerdote que lo había impresionado gratamente durante un retiro al que había acudido en la Semana Santa de 1527. El Emperador había regalado al Prior una buena cantidad de dinero, quien la aceptó, no sin antes protestar, misma que inmediatamente distribuyó entre los pobres de la región. En diciembre de 1528, el Prior Juan de Zumárraga fue nombrado Primer Obispo del Nuevo Mundo y enviado a México antes de su consagración formal.

A su llegada al país, el nuevo Obispo trabajó celosamente y sin descanso para la evangelización y beneficio social de México. Era un hombre de cultura considerable, piadoso y versátil, a quien El Greco, en sus pinturas, expuestas en el Museo Nacional de Arqueología de la Ciudad de México, retrata como un digno erudito y un ascético. Zumárraga se lanzó en contra del creciente despotismo de la Primera

Audiencia. El llevó la primera imprenta al continente, importó de Europa árboles de frutas desconocidas para mejorar la dieta de los mexicanos, hizo arreglos para el establecimiento de expertos en agricultura españoles con el objeto de modernizar el sistema de cultivo de los nativos e introdujo los métodos de producción textil del Viejo Mundo. Asimismo, el Obispo Zumárraga fundó muchas escuelas, incluyendo el Colegio de la Santa Cruz en Tlatelolco, cerca de la Ciudad de México, al que nos referiremos más adelante, y abrió camino para la fundación de la primera universidad en el país - ahora la más grande del mundo, con cerca de 90,000 estudiantes -.

La mayor preocupación de Zumárraga era el bienestar espiritual de los mexicanos. Persuadió a la iglesia en España para que le enviara muchos misioneros y fomentó el entrenamiento de clérigos nativos en los seminarios que había fundado. Sin embargo, las raíces del paganismo estaban seriamente implantadas en el alma de los aztecas; la gran mayoría de mexicanos odiaba abandonar la antigua adoración de ídolos y los bautismos eran pocos y muy raros. Aunado a todas las dificultades que ya tenían los misioneros, la Primera Audiencia estaba dominada por Don Nuno de Guzmán quien había adquirido una reputación de tiranía y crueldad en el ejercicio del poder que le había confiado el alejado Carlos V.

Guzmán justificaba su severo régimen alegando que los aztecas eran seres sin alma semejantes a los monstruos de antiguas leyendas, por lo que era una pérdida de tiempo tratar de evangelizarlos y podían ser legítimamente explotados. Sin embargo, los misioneros insistían que ya que los indígenas habían sido dotados con la razón, podían llegar a ser hijos de Dios a través del bautismo y por lo tanto, tenían todo el derecho de ser tratados con respeto.

Las persistentes denuncias de Zumárraga no tuvieron efecto. Muchos ciudadanos inocentes fueron torturados y asesinados por la avaricia de sus gobernantes, y cuando el obsipo protestó firmemente, varios de sus frailes fueron acosados por Guzmán , quien se sintió lo suficientemente poderoso para amenazar al mismo Zumárraga. La severa persecución de la que fue objeto el Obispo, como consecuencia de sus infatigables esfuerzos por defender los derechos de los indígenas, nos ayuda a comprender su relativo silencio con respecto al dramático evento que estaba por llevarse a cabo."La persecución que se realiza contra los monjes y clérigos por el presidente y sus jueces," escribió, " es peor que la de Herodes y Diocletiano".

Finalmente, el obispo se las arregló para evadir la severa censura de Guzmán y envió a España un mensaje a Carlos V dentro de un crucifijo hueco. Inmediatamente, el Emperador, reemplazó a Guzmán y a sus tiránicos oficiales, con una Segunda Audiencia, encabezada por un hombre de absoluta integridad, el Obispo Don Sebastián Ramírez y Fuenleal. Aunque los nombramientos se llevaron a cabo en 1530, los candidatos debían terminar sus asuntos en España y realizar el largo viaje de tres meses a través del Atlántico, y para 1931. aún no habían llegado a México.

Mientras tanto, los aztecas y otras tribus del país se habían visto forzados a tomar las armas contra los españoles debido a la crueldad de la Primera Audiencia. Zumárraga se dió cuenta que era inminente una insurrección general y suplicó a Nuestra Señora su intervención para evitar esta violenta explosión que amenazaba con aniquilar a los pocos españoles que quedaban en el país. Secretamente, pidió a la Virgen que le enviara rosas de Castilla, entonces desconocidas en México, como señal para comprobar que su desesperada súplica había sido escuchada.

Se debe tener en cuenta, que la crueldad de los españoles en sus relaciones con los recién derrotados mexicanos, se atribuía únicamente a los gobernantes y que una gran proporción de los colonizadores se esforzaron en crear lazos genuinos con los nativos por medio del matrimonio para fusionar ambas culturas y tradiciones logrando así convertirlas en una nueva nación. Finalmente, los derechos civiles de la mayoría fueron asegurados por Carlos V al establecer un Consejo de Indias en Sevilla en el año de 1542, el cual se hiciera cargo de todas las quejas y violaciones de la justicia en el Nuevo Mundo. Asimismo, debe recordarse que gran parte de las críticas al trabajo de Cortés y de sus sucesores, fue exagerado, especialmente por Bartolomé de las Casas, capellán de Diego Velázquez, conquistador de Cuba. Este hombre, se mezcló en una disputa personal contra Cortés y varios de sus paisanos en México. Estos cargos ampliamente distorsionados fueron utilizados en Europa por protestantes holandeses, franceses e ingleses que deseaban desacreditar el trabajo de misioneros católicos en el Nuevo Mundo.

II

LAS APARICIONES EN TEPEYAC

Entre los primeros mexicanos en recibir el bautismo estuvo la Princesa Papantzin en 1525. En ese mismo año, un pobre campesino y su esposa, de la villa de Cuautitlán, a unos 24kms. al noreste de la Ciudad de México, fueron de la misma manera recibidos en la iglesia, él tomó el nombre de Juan Diego y su esposa el de María Lucía. Tambien, entre los primeros Cristianos estaba su tío, Juan Bernardino, quien vivía en el pueblo de Tolpetlac, a unas seis millas al sur de Cuautitlán.

Juan nació en el año de 1474, solo dieciocho años antes de que Cristobal Colón descubriera San Salvador,y al perder a sus padres durante su niñez, fue criado por su tío. Cuando se casó, se estableció en Cuautitlán con su esposa en una pequeña casa de un solo cuarto construida de lodo con techo de hojas de maíz . Se dedicó a la agricultura, a tejer petates con caña que cortaba en lagos cercanos, fabricaba muebles, y se empleaba para cualquier trabajo que estuviera disponible en la vecindad. También era propietario de una casa y un pedazo de terreno en Tolpetlac. Sus dos casas estaban firmemente construidas y ambas sobreviven hasta la fecha conservándose en asombroso buen estado de preservación.

Juan era un hombre pequeño de naturaleza amistosa pero de carácter reservado. De lo poco que conocemos de él, aparentemente su virtud mas marcada era la humildad. Era modesto y al caminar tendía a encorvarse arrastrando los pies. Aunque pertenecía a la clase media y seguramente recibió una educación rudimentaria ,en realidad era tan pobre como los de la clase mas baja. La vida para él era una contínua lucha por sobrevivir. Sin embargo, encontró consuelo en su nueva fé, la cual practicaba con gran devoción. Resulta significativo el hecho de que se ofreció para recibir la doctrina y el bautismo solo dos años después de que los primeros Franciscanos llegaran a México.

Frecuentemente, Juan y su esposa caminaban 24 kms. hasta Tlatelolco para atender Misa , recibir los sacramentos así como mayor instrucción en la Fé. Se levantaban mucho antes del amanecer para iniciar el viaje de 30 millas a pié atravesando colinas, ya que los misioneros enfatizaban la importancia de llegar a Misa temprano. Como la mayoría de la gente de su raza, Juan y su esposa estaban acostumbrados a largas caminatas desde su niñez, pero su edad avanzada y el escarpado terreno que recorrían seguramente fueron debilitando su entereza.

Cuando llegaban al nuevo Convento Franciscano en Tlatelolco, Juan se sentaba al lado de su esposa sobre el suelo duro, acompañados de cientos de mexicanos y escuchaban a los sacerdotes que, pacientemente, los instruían en la nueva Fé Frases como "Amar a Dios" y "Santa María" brotaban fácilmente y con gusto de sus labios. El contraste que existía entre los horrores del paganismo y el amor, la alegría y la vibrante esperanza del Cristianismo no podía ser más absoluto.

Juan Diego
pintor anonimo del siglo XVIII

La vida para Juan pasaba inadvertida y tranquila, hasta que en 1529, María Lucía murió repentinamente. El impacto para este simple campesino fue comprensiblemente muy severo. Como no tenía hijos, encontró que la vida en esa casa vacía, con sus silencioso telar, su mesa desocupada, y sus solitarias tardes, resultaba casi insoportables. Finalmente, decidió dejar Cuautitlán para ir a a vivir cerca de su anciano tío en Tolpetlac, que además tenía la ventaja de encontrarse solo a 16 kms. de la iglesia de Tlatelolco. Siempre había mantenido con su tío una relación muy estrecha y ahora que se encontraba solo, podía dedicar mayor tiempo a su cuidado. Su rústica vida transcurría cultivando maíz y frijol y ocasionalmente cazando venados.

Juan continúo con sus viajes regulares a Misa a través de las colinas, sin embargo, para el año de 1531 cuando contaba con 57 años, comenzó a cansarse con mayor facilidad. La distancia que recorría era demasiado larga para su anciano tío y cuando Juan partía hacia Tlatelolco antes del amanecer, debe haber sentido una gran soledad, y podemos imaginarnos como extrañaba la compañía de su querida esposa.

La mañana del sábado 9 de diciembre de 1531, que entonces era la fiesta de la Inmaculada Concepción de la Santísima Virgen, Juan se levantó temprano y dejando su casa durante la fría madrugada, inició el largo recorrido por el paisaje ondulado para asistir a la Misa en honor de su Madre y Reina. Había algo especial para él en esta particular fiesta . ¿Que no habían explicado los sacerdotes cómo la Madre de Cristo había nacido sin la mancha del pecado original?,¿ cómo se había redimido anticipándose a los méritos del Calvario?. Y ella, la Reina celestial del Paraíso, la más pura y resplandeciente, era su propia Madre. Sintió su vida melancólica , sus pasos se avivaron al palidecer las estrellas en el firmamento, y mientras se apresuraba sumido en sus pensamientos, apenas percibia el viento helado que soplaba desde las áridas colinas y las piedras filosas que cortaban sus sandalias de cuero.

Al acercarse al hombro del cerro del Tepeyac, cuyas lejanas memorias de templo pagano de Tonantzin ya estaban olvidadas, se sorprendió al escuchar acordes de música en el quieto crepúsculo. Se detuvo repentinamente y escuchó. Tal vez era su imaginación.... Pero no, la música era real y lo más sorprendente era que las notas eran hermosas, más de lo que se podría expresar con palabras, como un coro de pájaros encantadores llenando el aire fresco con su dulzura, intoxicando sus sentidos. Juan contempló maravillado la obscura silueta del cerro del Tepeyac, desde donde deslizaba como plata derretida esa bendita melodía. Atonito, observó una resplandeciente nube blanca adornada con un brillante arcoiris formado por rayos de luz deslumbrantes que emergían de la nube. Repentinamente, la melodía excitante se detuvo sin la huella de un eco. Entonces escuchó que alguien lo llamaba desde la brumosa cumbre del cerro - la voz de una mujer, gentil e insistente que parecía atravesarlo como una lanza de oro. "Juanito... Juan Dieguito", llamaba la voz afectuosamente, usando el diminutivo de su nombre.

Juan miró curiosamente hacia la rocosa cumbre del cerro, sintiéndose interiormente forzado a responder a este llamado misterioso. Sin miedo, escaló sesgadamente la superficie rocosa del cerro y al llegar a la cumbre que tenía 39 mts. de altura, inesperadamente se encontró cara a cara con una Dama de un brillo y belleza imponentes. Su vestimenta brillaba como el sol y el esplendor de su persona revivía las rocas cercanas, los arbustos, los nopales y otras hierbas que crecían alrededor, alumbrándolas con una gama de radiantes colores, como si fueran vistas a través del vitral de una magnifica catedral. Aparentaba ser muy jóven, tal vez catorce años, y le hacía señas a Juan para que se acercase a ella, Juan titubiante, dió varios pasos en su dirección y cayó de rodillas venerándola, aturdido por la abrumadora belleza de la visión.

la primera aparición
Miguel Cabrera siglo XVIII

"Juanito, hijo mío, ¿adonde vas?", su voz era suave y gentil, su tono lleno de aprecio."Mi Noble Señora" se escuchó murmurar a sí mismo, "voy en camino a la iglesia de Tlatelolco a escuchar Misa".

La Señora sonrió con aprobación y dijo: "Mi más querido hijo, quiero que sepas con certeza que yo soy la perfecta y perpetua Virgen María, Madre del Dios Verdadero, a través de quien todo vive, el Padre de todas las cosas, quien es Amo del Cielo y de la Tierra. Deseo con fervor que se construya aquí un "teocalli" (templo) en mi honor, donde ofreceré y demostraré todo mi amor, mi compasión, mi ayuda y protección a la gente. Yo soy su Madre Misericordiosa, la Madre de todos los que viven unidos en estas tierras, de toda la humanidad, y de todos aquellos que me aman, de todos aquellos que lloran, de todos aquellos que confían en mí. Aquí, escucharé su llanto y sus penas, aliviaré y pondré remedio a sus sufrimientos, necesidades e infortunios. Por lo tanto, para que se realicen mis intenciones, dirígete a la casa del Obispo de la Ciudad de México y dile que yo te envío, que es mi deseo que se construya un teocalli aquí. Cuéntale todo lo que has visto y oído. Te aseguro que estaré muy agradecida contigo y te recompensaré por hacer diligentemente lo que te he pedido. Ahora que has escuchado mis palabras hijo mío, vé y hazlo lo mejor que puedas".

Juan se inclinó y dijo reverentemente: "Santísima Virgen, mi Señora, haré todo lo que me pides", se despidió de ella y descendiendo el escarpado cerro del Tepeyac, se dirigió extasiado hacia la Ciudad de México.

El sol escasamente había salido en el frío cielo azúl, al cruzar Juan la calzada principal sobre el Lago de Texcoco y pasar a través de la puerta norte de la ciudad. Al escabullirse por el pueblo aún dormido, rumbo a la casa del Obispo Zumárraga, se preguntaba incierto como sería recibido por el prelado, ya que estaba incómodamente consciente de su ropa ordinaria y su bajo estatus. Dudaba si el Obispo creería su improbable historia. Peor aún, los sirvientes de su Excelencia lo golpearían o le echarían los perros por atreverse a molestar su casa a tan temprana hora. Su corazón dudó con las expectativas, sin embargo, ya que la Reina del Cielo le había encomendado esta misión, estaba determinado a llevarla a cabo.

Tocó lenta y cautelosamente la puerta de la residencia episcopal. Le abrió un sirviente. Juan solició ser conducido ante el Obispo. Como Juan supuso, el sirviente quedó desconcertado con su apariencia desaliñada y lo observó sospechosamente. Pacientemente, Juan repitió su solicitud. Después de cierta vacilación, el sirviente pareció cambiar de opinión y se hizo a un lado para dejarlo pasar, de mala gana lo introdujo a un patio donde se le ordenó sentarse y esperar.

Lentamente transcurrió una hora. Juan comenzó a dudar cuanto tiempo más tendría que permanecer ahí sentado a merced del aire helado. El viento inclemente le penetraba como un cuchillo - la ciudad se encuentra a 2,300 mts. sobre el nivel del mar - y cerró sobre su cuerpo tembloroso su manto o tilma, frotando sus manos en un esfuerzo por mantenerse tibio. Finalmente, apareció en la puerta un oficial, anunciándole que su Excelencia estaba listo para recibirlo.

El Obispo Zumárraga, con su habitual cortesía y gentileza, saludó a su inesperado visitante y envió por un intérprete, un español de nombre Juan González. Este último era un hombre de 31 años, bien educado, quien había aprendido el lenguaje azteca mientras viajaba a través del vasto país ayudando en los extensos puestos misioneros. Como consecuencia, había sido nombrado intérprete ofical del Obispo y por lo tanto pertenecía a la casa episcopal.

Suprimiendo su nerviosismo, Juan Diego se arrodilló ante el prelado, y relató lo mejor que pudo, su extraordinaria experiencia, repitiendo el mensaje de la Señora exactamente como lo había escuchado. El Obispo frunció el ceño y escudriñó la cara bronceada y curtida de Juan, tratando de descubrir si decía la verdad. Mientras escuchaba, no pudo dejar de sentirse impresionado por la evidente sinceridad y humildad de Juan Diego. Le preguntó dónde vivía y cual era su ocupación, y después lo cuestionó sobre los evangelios y la práctica de su religión. El Obispo quedó satisfecho son sus respuestas, pero sobre la historia de la aparición de la Reina del Cielo..... Zunárraga suspiró, titubeando.

El Obispo lentamente movió la cabeza. Y cuando Juan lo vió fijamente con aire de desmayo, el prelado puso gentilmente su mano sobre su hombro y le dijo en un tono tranquilizador, " Hijo mío, debes venir nuevamente, cuando esté desocupado y pueda escucharte. Mientras tanto, reflexionaré sobre todo los que me has contado y consideraré cuidadosamente, la buena voluntad y sincero deseo que causó que tu vinieras a mi". Le hizo una señal de despedida, y Juan se levanto cabizbajo, consciente de que habia fracasado en la misión de la Virgen. Aunque Juan había esperado una reacción similar, la decisión negativa del Obispo lo impactó.

Juan Diego narrando la aparición a Obispo Zumarraga

Inmediatamente, se halló siendo escoltado a travès del espacioso edificio, en el cual grupos de oficiales y sirvientes lo observaban con burla, hacia la polvorienta calle. Es cierto que su Excelencia había sido amable y condesendiente, pero el estado de ánimo de su casa acentuó su amarga desilusión. Con el corazón pesado, marchó hacia el norte a través de la ciudad, cruzando la gran calzada en dirección de Tepeyac.

Mientras se aproximaba al rocoso cerro, de repente Juan sintió instintivamente que la Señora vestida de luz, estaría esperándolo en la cima. Escaló la escarpada cuesta y la encontró de pié, bañada por la misma radiancia sobrenatural con que la había visto antes. Se arrodilló inmediatamente, inclinándose en veneración. “Noble Señora”, le dijo, “obedecí tus órdenes. Aunque tuve dificultades, entré a la cámara de audiencias del Obispo. Ví a su Excelencia como me pediste. Me recibió gentilmente y me escuchó con atención, pero al contestarme, parecía no creerme” Juan vaciló, mordiendo sus labios con decepción. "Me dijo: ' Hijo mío, debes venir nuevamente cuando esté desocupado y pueda escucharte con calma. Reflexionaré sobre todo lo que me has contado y consideraré cuidadosamente, la buena voluntad y sincero deseo que causó que tu vinieras a mi.' Me dí cuenta, por la forma en que respondió, que pensaba que estaba inventando la historia sobre tu deseo de construír un templo aquí. Por lo tanto, te suplico, Noble Señora, que confíes este mensaje a alguien de importancia, alguien conocido y respetable para que tu voluntad se logre. Porque yo soy un pobre campesino y tu, mi Señora, me has enviado a un lugar donde estoy fuera de lugar. Perdóname si te he desilusionado al fracasar en mi misión".

La Virgen le sonrió con ternura y dijo "Mi más querido hijo escúchame, y entiende que tengo muchos servidores y mensajeros a quienes puedo encargar que entreguen mi mensaje. Pero es completamente necesario que seas tú el que lleve a cabo esta misión y que sea por medio de tu mediación y de tu ayuda que mi deseo se cumpla. Te encargo que regreses con el Obispo mañana. Háblale en mi nombre y hazle entender mi voluntad, que debe emprender la construcción del teocalli que he pedido. Repítele que quien te envía, soy Yo en persona, la siempre Virgen María; Madre de Dios.

Contemplando su inexpresable semblante, a Juan le surgió confianza y respondió "Santísima Señora, no te decepcionaré. Con gusto iré a cumplir tus órdenes, aunque una vez más no me crean. Mañana hacia la puesta del sol, regresaré aquí para darte cuenta de la respuesta del Obispo". Dicho lo anterior, Juan se levantó y dándole una última y larga mirada a la radiante Presencia, se inclinó retirandose de ella.

Al llegar a casa, cocinó su cena y se fue directo a la cama, ya que estaba muy fatigado y a la mañana siguiente, que era domingo, le esperaba otro largo viaje. Horas después se levanto aún estando obscuro y después de un viaje sin contratiempos, arribó a la iglesia de Santiago en Tlatelolco para escuchar Misa y aprender más sobre la doctrina Cristiana. Eran casi las diez, cuando salió de la iglesia dirigiéndose a la Ciudad de México. Mientras caminaba, su mente luchaba con el problema de cómo convencer a los servidores del Obispo para que su Excelencia lo recibiera nuevamente. ¿Cómo convencería al prelado de que decía la verdad?. La idea del fracaso lo desanimó. Y¿ si los sirvientes se negaban a admitirlo y le echaban a los perros? Simplemente gritando una órden sufriría un severo maltrato. Juan murmuró una plegaria a la Santísima Virgen y se dirigió resueltamente hacia la casa del Obispo. Estaba seguro que Ella le ayudaría a mantener su valentía y le obtendría una segunda audiencia.

Al llegar a la residencia del Obispo, no le sorprendió que lo recibieran con irritación. Bruscamente le informaron, que Su Excelencia estaba ocupado con asuntos más importantes, y que no podría recibirlo. Juan insistió con su solicitud, agotando finalmente la resistencia de los sirvientes y de mala gana fue conducido una vez más al patio, donde se le ordenó esperar. Por el tono que utilizó el sirviente, se imaginó que tendría que sufrir otra larga espera.

El viento helado soplaba con vigor por el patio, Juan cerró su manto mientras paseaba de un lado al otro, tratando de pensar cómo podría convencer al Obispo de que la aparición que había presenciado era genuina. De vez en cuando transitaban oficiales por ahi, algunos de ellos mirándolo con desprecio al pasar. Juan pretendía no darse cuenta, pero se sentía humillado e inquieto. Estaba seguro de que lo consideraban un indio ignorante, pero existía otra agonía que carcomía su corazón: ¿cómo podría convencerlos de que decía la verdad?. Finalmente, después de varias horas de espera, alguién llamó su nombre y fue conducido ante el Obispo.

Zumárraga elevó la vista, sorprendido de verlo de regreso tan pronto. Sin embargo, lo recibió con su habitual cortesía, sin estar enterado que su visitante había sido detenido tanto tiempo. Inmediatamente, Juan se arrodilló ante el prelado y repitió el mensaje de la Virgen con todo el fervor de que era capaz. Pero su propia intensidad y la fría y larga espera que había tenido que soportar, lo dominaron. Las lágrimas brotaban de sus ojos, y las palabras emergían apasionadamente al implorar, con las manos juntas, obedecer la solicitud de la Virgen.

Zumárraga estaba avergonzado por este extraño comportamiento. Colocó su mano sobre el hombro del mexicano y en un tono amable y paternal, le pidió reponerse y contestar a sus preguntas. Juan suspiró profundamente y recobró su compostura. " ¿Dónde la viste?" preguntó el Obispo. "¿Cömo era?" "¿Cuánto tiempo permaneció contigo"?. El Mexicano hizo recuento de todo lo que había sucedido en Tepeyac, y durante el interrogatorio inquisitivo que siguió, nunca contradijo un solo detalle de su historia.

Zumárraga estaba impresionado, pero no sería persuadido a construir un templo en ese remoto lugar, basándose simplemente en el testimonio no comprobado de un indígena. ¿Cómo podría asegurarse de que el hombre no sufría de alguna clase de alucinación?. Necesitaba algo más convincente, algo como una señal del Cielo. Al escuchar esto, Juan sintió renacer su esperanza. "Señor," preguntó con entusiasmo, "¿qué clase de señal me pides?, iré en este momento y la solicitaré a la Reina del Cielo quien me envío."

Sorprendido,con esta respuesta, el Obispo vaciló, e indicó que dejaría que la supuesta aparición escogiera la señal. Con esto dio por terminada la audiencia y permitió que Juan se retirara.

Tan pronto se había marchado, Zumárraga ordenó a varios de sus ayudantes de confianza, que secretamente lo siguieran y observaran a dónde se dirigía y con quien hablaba. Así lo hicieron y, manteniéndose a una discreta distancia de Juan, no lo perdieron de vista atravesando las rejas de la ciudad y a lo largo de la calzada hacia Tepeyac. Al llegar a un barranco en la colina, repentinamente desapareció de su vista. Los hombres del Obispo buscaron por todos lados, trepando sobre las rocas escudriñando desfiladeros, pero Juan no aparecía. Molestos con todos los problemas que había causado, finalmente abandonaron la búsqueda y marcharon penosamente de regreso a la ciudad, donde comunicaron al Obispo que, claramente, el indígena era un impostor y que los había evadido, sugirieron que si tenía la osadía de aparecer por ahí, lo castigarían y le darían una lección. Zumárraga no dijo nada. Había decidido no emitir juicio hasta ver el resultado de su solicitud de una señal.

Mientras buscaban a Juan, él había subido la empinada cuesta del Tepeyac, encontrándose una vez más con la radiante presencia de la Madre de Dios. El aura brillante que la rodeaba , la envolvía como niebla luminosa cubriendo su presencia. Se posó a sus pies, derramando su corazón en un torrente de pena. Nadie había creído su historia. Había realizado su mayor esfuerzo, pero había fracasado. Podría la Virgen darle una señal que convenciera al Obispo de que realmente decía la verdad?

Cuando su voz afligida finalmente se aplacó, la Señora le sonrió con ternura en aprecio a sus esfuerzos. "Esta bien, hijo mío. Regresa mañana y tendrás la señal que te han solicitado. De esta manera, creerá y no dudará ni sospechará más de tí". Sonrió aún más afectuosamente. "Querido hijo, escucha bien mis palabras: te recompensaré abundantemente por todas las molestias, el trabajo y las preocupaciones que has sufrido por mi causa. Ahora, vete a casa. Mañana te estaré esperando aquí mismo".

Juan regresó a Tolpetlac lleno de júbilo por las palabras de la Virgen, sintiendo que le quitaban un gran peso de encima. Esa misma tarde, fue a visitar a su amado tío Juan Bernardino y se horrorizó cuando lo encontró seriamente enfermo de 'cocolixtle', una terrible fiebre que invariablemente reclamaba las vidas de sus víctimas. Inmediatamente, Juan mandó llamar al médico, quien realizó su mejor esfuerzo para aliviar los sufrimientos del anciano con remedios a base de hierbas, pero su condición continuó empeorando.

Durante toda la noche y el día siguiente, Juan Diego permaneció al lado de la cama de su tío con el corazón destrozado, atendiendo sus necesidades y confortándolo lo mejor que pudo. Estaba seguro que la Señora entendería su situación y lo disculparía por no presentarse ante ella en el Tepeyac. Hacia la puesta del sol, claramente parecía que su tío estaba muriendo. El enfermo suplicó a su sobrino que a la mañana siguiente, muy temprano, se apresurara a Tlatelolco a traer un sacerdote para que escuchara su confesión y le administrara los santos óleos. Por ende, Juan salió alrededor de las cuatro de la mañana, caminando tan a prisa como se lo permitían sus piernas, ya que sabía que a su tío le podrían quedar pocas horas de vida.

Los investigadores, se han preguntado a menudo, porqué Juan no confió en el poder de la Santísima Virgen en este momento crítico. Parece sorprendente que, habiendo visto y hablado con ella, sabiendo que lo estaría esperando, su primer pensamiento no fue el de correr a su lugar de reunión y suplicarle en persona por la vida de su tío. La hoy fallecida Helen Behrens, una de las máximas autoridades modernas sobre Guadalupe, llevó a cabo una investigación entrevistando a muchos de los habitantes de Tolpetlac para indagar sobre esta enigma, ya que, los eventos acontecidos en el año de 1531 han sido trasmitidos por tradición de generación en generación.. Descubrió que mantenían una versión muy diferente sobre el episodio, de acuerdo a la cual, cuando Juan regresó a casa la tarde del Domingo, descubrió que su tío había desaparecido. Después de una angustiosa búsqueda, lo encontró tirado boca abajo a orillas de un bosque cercano, herido fatalmente por una flecha. La insurrección general en contra de los españoles era inminente y a Juan Bernardino, un Cristiano, le habían disparado por colaborar con los misioneros españoles. Su sobrino lo llevó cargando a casa, distraído por la pena e incapaz de comprender porqué esta terrible tragedia había sucedido justo en el momento de su grandioso encuentro con la Madre de Dios.

Tal vez, después de todo, el Obispo tenia la razón. Posiblemente solo se imaginaba las visiones, o sufría de alucinaciones. Sin lugar a dudas, fue a consecuencia de pensamientos como éstos que daban vueltas en su mente, que Juan decidió no asistir a su cita con la Virgen al día siguiente. Si esta fue la razón, se explicaría su profunda verguenza cuando posteriormente la mañana del martes se encontró con la Virgen . Helen Behrens descubrió también que se había levantado una cruz de piedra en el sitio donde se había encontado herido a Juan Bernardino. Por varios siglos, la cruz desapareció, probablemente escondida por el terreno pantanoso, pero hace alrededor de setenta años, emergió nuevamente a la luz en su lugar tradicional, gracias a un movimiento telúrico.

La mañana del martes 12 de Diciembre, Juan Diego caminaba apresuradamente en dirección a Tlatelolco. Al acercarse al Cerro del Tepeyac, tomó una decisión en torno al dilema que lo había estado inquietando. Si cruzaba la colina por el camino habitual, la Señora lo vería y lo detendría para darle la señal que le había prometido para el Obispo. Pero Juan no podía perder ni un momento, si quería llevar un sacerdote antes de que su tío muriera. Decidido, caminó a través del terreno empastado y escabroso, rodeando el cerro por el lado este, esperando escabullirse sin ser visto.

Al pasar por el lado de la colina , le tomó por sorpresa ver a la Señora descendiendo del cerro en un esplendor de luz a corta distancia y acercarse en un ángulo que lo interceptaría. Agobiado por la pena y la confusión, y sin saber qué hacer,la escuchó entonces llamarlo con su acostumbrada voz compasiva y gentil. "Hijo mío, ¿que sucede?, dijo. "A dónde te diriges"?.

Se acercó inclinándose ante ella confuso, murmurando cosas agradables tratando de apaciguar su bochorno. Luego recobrando el control, y con una voz más tranquila dijo: "Noble Señora, te afligirá escuchar lo que tengo que decir. Mi tío, tu pobre servidor, está muy enfermo. Padece de la peste y está muriendo. Me apresuro a la iglesia de la Ciudad de México a llamar un sacerdote para que escuche su confesión y le dé los santos oleos. Cuando haya hecho ésto, regresaré aquí inmediatamente para transmitir tu mensaje". Juan titubeaba e imploraba con sus ojos. "Por favor, perdóname y sé paciente conmigo. No te estoy engañando. Te prometo fielmente que vendré aquí mañana lo mas rápido posible".

Hubo una pausa. Juan pudo apreciar el amor y comprensión que fluía de la mirada fija de la Señora, y la ternura de su gentil respuesta casi lo hace llorar. "Mi querido hijo, escucha y permite que mis palabras invadan tu corazón", dijo consoladoramente, en un mensaje que resonaría a través de los siglos, logrando que millones de sus hijos se cobijen en sus confortables brazos. "No estés preocupado ni te angusties con sufrimiento. No temas ninguna enfermedad o molestia, ansiedad o dolor. ¿No estoy yo aquí que soy tu Madre?,¿No estás bajo mi sombra y protección ? ¿No soy yo la fuente de tu vida? ¿No estás bajo los pliegues de mi manto? ¿Bajo el cobijo de mis brazos? ¿Hay algo más que puedas necesitar?". Hizo una pausa sonriéndole y agregó, "No permitas que la enfermedad de tu tío te preocupe, porque el no morirá de este mal. En este momento, él está curado.

Con estas sublimes palabras, pronunciadas a un humilde campesino mexicano, Nuestra Señora reveló a todos sus hijos en miseria, la exquisita ternura de su Corazón Inmaculado. Sus palabras son un mensaje personal de profundo amor y plegaria maternal destinados a cada uno de nosotros, sin importar credo, color, raza o rango. La gloriosa Madre de Dios había llegado al árido cerro del Tepeyac, que posteriormente se convertiría en un enorme y mundialmente famoso santuario, como la Madre misericordiosa de toda la humanidad, Madre de piedad y buena voluntad, Madre de misericordia a quien Nuestro Señor en la hora de Su terrible agonía en la cruz nos confió, mientras El intercedía por nosotros con Su Padre Celestial, ella asimismo, intercede con Su Hijo en nuestro favor.

El consuelo que experimentó Juan Diego al escuchar a la Madre de Dios pronunciar tan tiernas palabras muy bien puede imaginarse. Al reponerse de su gozoso azoramiento, Juan ofreció ponerse en camino inmediatamente hacia la residencia del Obispo con la señal prometida.

La Señora sonrió con aprobación y le dijo que escalara hasta la cumbre del Tepeyac "al lugar donde me viste previamente. Ahí encontrarás creciendo muchas flores. Recógelas cuidadosamente, juntalas, y después traélas para enséñarme lo que tienes".

Juan subió la cuesta con presteza, y llegando a la cima se asombró al encontrar una colorida abundancia de flores , incluyendo las rosas de Castilla, que florecían en el suelo helado. No sólo estaban en pleno florecimiento completamente fuera de temporada, sino que sería imposible para cualquier tipo de flor crecer en un terreno tan pedregozo, el cual sólo podía producir cardos, cactus y débiles arbustos. Se dio cuenta que las flores relucían con gotas de rocío y que su deliciosa fragancia se percibía como un aliento del Paraíso.

Extendió su tilma como un delantal, y lo llenó con las coloridas flores, bajando hasta donde lo esperaba la Señora en un óvalo de luz radiante. Cuando mostró el resplandeciente montón de flores, Ella los arregló cuidadosamente con sus propias manos y mientras lo hacía, le dijo: "Hijo mío, esta variedad de flores es la señal que llevarás al Obispo. Dile en mi nombre, que con ellas reconocerá mi deseo y que debe cumplir mi voluntad. Tú serás mi embajador, totalmente digno de mi confianza. Te ordeno que no abras tu tilma,ni reveles lo que contiene, hasta que estés en su presencia. Entonces, dile todo al Obispo; explícale cómo te he enviado a la cima del cerro donde encontraste estas flores creciendo en abundancia, listas para ser cortadas. Dile una vez más, todo lo que has visto aquí para convencerlo y cumpla con mis deseos para que se construya aquí el teocalli que solicito."

La Virgen coloca las rosas en el tilma de Juan Diego

anónimo

Juan asintió en aprobación, y apoyando cuidadosamente sobre su pecho el borde de su tilma para no dañar ninguna de las delicadas flores, se inclinó reverentemente e inició el recorrido hacia la Ciudad de México. Su corazón palpitaba jubilosamente mientras caminaba, ya que esta vez, el Obispo tendría que creerle. De vez en cuando se detenía para asegurarse que las preciosas flores permanecían tal como las había arreglado la Señora. Su exquisita fragancia parecía impulsar su avance; anhelaba el momento en el que el Obispo finalmente aceptara su historia y ordenara la construcción del templo en Tepeyac. Sin embargo, sabía que podrían haber problemas con los sirvientes a la entrada nuevamente , pero estaba seguro que de alguna manera todos los obstáculos serían superados.

Tan pronto se presentó ante la casa del Obispo, los sirvientes salieron muy molestos para correrlo. Juan mantuvo su posición y les imploró que lo llevaran en presencia del Obispo solo una vez más, insistiendo que esta vez Su Excelencia creería firmemente en su historia. Se negaron pretendiendo no entenderle. Le intimidaron con injurias al cerrar en su cara con gran estrépito, las puertas de metal. Juan se rehusó a partir, determinado a esperar afuera todo el día si era necesario, para cansarlos con su súplica persistente.

Alrededor de una hora más tarde, uno de los oficiales dentro del recinto, se percató que Juan aún se encontraba allí, empuñando los bordes de su tilma como si ocultara algo. Le preguntó a Juan qué era lo que llevaba, pero fue incapaz de obtener una respuesta satisfactoria. Al escuchar este extraño intercambio, aparecieron otros miembros de la casa episcopal, abrieron las puertas y se reunieron alrededor del Mexicano, ordenándole que abriera su tilma. Cuando éste se negó, amenazaron a obligarlo por la fuerza. Dándose cuenta de que hablaban en serio, renuentemente abrió su manto sólo una pequeña fracción para permitirles una breve ojeada a las flores. Quedaron boquiabiertos al ver las magníficas flores y extasiados por su exquisita fragancia. Ansiosamente trataron de arrebatárselas, pero mientras lo hacían parecía que las flores se derretían dentro de los bordes del tilma como si fuera un encaje. Uno de los oficiales, se apresuró a reportar este extraordinario evento al Obispo. Zumárraga, sin estar enterado que habían mantenido a Juan esperando una vez más, se preguntó si esta vez traía la señal que había requerido y ordenó que Juan fuera llevado a su presencia en el acto.

Juan encontró al Obispo rodeado por un gran número de imponentes personajes, incluyendo a Don Sebastián Ramírez y Fuenleal, el nuevo gobernador de México. Se inclinó en lugar de arrodillarse, por miedo a perder el control de su tilma, y relató lo que había vivido en Tepeyac, estaba actuando nuevamente como su intérprete Juan González. "Su Excelencia", dijo Juan, "obedecí sus instrucciones. Muy temprano esta mañana, la Virgen Celestial me pidió que viniera a verlo otra vez. Le pedí la señal que usted solicitaba y que Ella prometió darme. Me dijo que subiera hasta la cumbre del cerro, donde yo la había visto previamente, para que recogiera las flores que allí crecían. Yo sabía muy bien que la cima de la colina no era un lugar adecuado para que crecieran las flores, especialmente en esta época del año, pero no dudé en su palabra. Cuando alcancé la cumbre, quedé asombrado al encontrarme rodeado de hermosas flores, todas brillantes con gotas de rocío. Corté tantas como pude y se las llevé a la Señora. Ella las arregló con sus propias manos y las colocó en mi manto para que pudiera traérselas a usted. Aquí están. Contémplenlas." Con ésto, Juan abrió los bordes de su tilma y las flores, mezcladas con rosas de Castilla, cayeron al piso como cascada en una abundancia de color y perfume.

Zumárraga sin poder articular palabra, las observó. Era la señal que había solicitado a la Santísima Virgen para mostrarle que había escuchado su plegaria para que trajera paz al país. Lleno de sorpresa, levantó sus ojos hacia la tilma y en ese instante apareció sobre ella una imagen gloriosa de la Madre de Cristo.

Juan Diego abre su tilma y aparece el cuadro milagroso

Por un momento electrizante, los ojos de cada una de las personas que ocupaban la habitación se fijaron en la esplendorosa imagen como si estuvieran contemplando una aparición. Entonces, lentamente se pusieron de rodillas en admiración y veneración. Totalmente perplejo, Juan observó el objeto de su contemplación para ver que los había trastornado de esa manera y quedó abrumado al observar una réplica exacta de la Reina Celestial que había visto en Tepeyac.

Los ojos de Juan brillaron estupefactos. La Señora había venido casi en persona, parecía confrontar al Obispo con esta incuestionable señal, una maravillosa representación visual de Ella misma, que a través de los siglos, millones de personas contemplarían con la misma admiración y veneración , que Juan veía reflejada en la cara del Obispo y sus acompañantes.

Cuando finalmente, Zumárraga se levantó, abrazó a Juan y suplicó su perdón por haber dudado de él. Le pidió permanecer la noche como su invitado de honor, prometiéndole acompañarlo al día siguiente al bendito sitio donde la Madre de Dios había requerido la construcción de un templo. Con el mayor cuidado, el Obispo desató la tilma del cuello de Juan y reverentemente llevó la prenda transformada a su oratorio privado donde podría contemplarla a placer.

Fray Juan de Zumarraga

Las noticias sobre este prodigio se expandieron, como fuego salvaje, a través de la ciudad. La mañana siguiente, la sagrada imagen fue conducida en procesión triunfante a la catedral, acompañada por multitudes jubilosas. Hacia mediodía, el Obispo y su comitiva acompañaron a Juan al sitio de las apariciones.

Después de consultar, Zumárraga decidió que debía construír una pequeña capilla inmediatamente, mientras pudieran realizarse los planos para un santuario más grande y digno. Cuando todo estaba arreglado. Juan solicitó permiso para retirarse, pues estaba impaciente por llegar a casa a ver a su tío. No dudaba de las palabras de la Señora sobre su recuperación, pero deseaba verlo gozando de buena salud nuevamente. El Obispo consintió, pero insistió en que fuera acompañado por una guardia de honor hasta su casa. Para su sorpresa, Juan se encontró regresando triunfante a su humilde pueblo como si fuera un héroe nacional.

la quinta aparición de La Virgen curando a Juan Bernardino

Cuando llegó a Tolpetlac, se llenó de alegría al encontrar a su tío sano otra vez y descansando a la puerta de su casa. El anciano se levantó sorprendido al ver a su sobrino rodeado por un séquito de caballeros y frailes. Una muchedumbre de gente del pueblo se reunió rápidamente a su alrededor y Juan les relató todo lo que había acontecido. Su tío asentía como si ya estuviera enterado de la historia, fue entonces cuando comenzó a revelar su impresionante experiencia. Después de que su sobrino partió a buscar un sacerdote, se sintió demasiado débil para tomar la medicina que había sido puesta al lado de su cama, y se dió cuenta que había llegado su último momento. De repente, la habitación se inundó de luz y apareció ante él una hermosa Señora irradiando paz y amor. Juan Bernardino sintió inmediatamente que la fiebre cedía de su cuerpo y levantándose de la cama, cayó de rodillas frente a la visión celestial. La Virgen le dijo que había interceptado a su sobrino, enviándolo al Obispo con su sagrada imagen impresa en su tilma. Entonces, le reveló el título con el que deseaba ser conocida en el futuro,el cual tenía que informar al Obispo.

El intérprete que tradujo las palabras del título para el Obispo, pensó que Juan Bernardino trataba de decir:"La Siempre Virgen, Santa María de Guadalupe".Zumárraga quedó pasmado, ya que el nombre de Guadalupe no tenía ninguna conexión con México, sin embargo,era el nombre de un famoso santuario Mariano en España.

Este santuario, situado en Extremadura, una provincia al este de la sierra de España,existía ya varios siglos antes de las apariciones en Tepeyac.Una breve pausa para conocer sus antecedentes,nos ayudará a entender porqué,el intérprete del Obispo asumió,que Nuestra Señora se había identificado con el nombre de Guadalupe.

La estatua que se encuentra en el santuario Español representa a la Santísima Virgen cargando en una mano al Niño Jesus y en la otra un cetro de cristal que representa su Divina Maternidad.La imagen tiene una historia variada.La tradición relata,que fue venerada por el Papa San Gregorio el Grande en su oratorio privado y que eventualmente,la obsequióa su amigo San Leandro,Obispo de Sevilla. La imagen fue venerada en Sevilla hasta la invasión Mora en el año 711 D.C., cuando, temiendo por su seguridad, algunos miembros de la iglesia que escapaban de los moros, la ocultaron en un cofre de hierro, escondiéndolo después en una cueva. Se cuenta que en 1326, Nuestra Señora se apareció a un pastor, Gil Cordero, y le dijo donde se encontraba la estatua con sus documentos auténticos. La cueva estaba localizada a las orillas del Río Guadalupe, que literalmente significa Río de Lobos, probablemente porque esta parte del país había estado infestada de lobos en el pasado. En 1340, el rey Alfonso XI de Castilla, ordenó la edificación del Real Monasterio de Guadalupe, para albergar la estatua, dejándola a cargo de los Franciscanos. No pasó mucho tiempo para que el monasterio se convirtiera en el santuario más venerado en España, atrayendo multitudes interminables de peregrinos. Puede ser significativo, que Cristobal Colón haya rezado aquí antes de embarcarse en su trascendental viaje de descubrimiento y que, como símbolo de su gratitud por haber sobrevivido al naufragio en su viaje de regreso a España, nombró a la isla que providencialmente lo había salvado, Guadalupe.

Los primeros misioneros en México, esparcieron la devoción de su Virgen de Guadalupe por todos los sitios que visitaban, y probablemente fue su ferviente veneración la que causó un malentendido en lo referente al nombre de la aparición que Juan Bernardino dio al Obispo Zumárraga. La palabra Guadalupe que utilizó la Señora no puede ser deletreada ni pronunciada en Nahuatl, el lenguaje azteca, y el único lenguaje que conocía Juan Bernardino, ya que las letras D y G no existen en esta lengua. Por lo tanto, la conclusión lógica es que Ella se identificó con un nombre fonéticamente similar al de Guadalupe. El Obispo asumió que el Mexicano trataba de pronunciar la palabra Guadalupe y así fue como se adoptó este nombre para el nuevo santuario. Existieron muchos precedentes para tomar en cuenta este error de traducción, particularmente entre los nombres de lugares mexicanos, a los cuales, los españoes simplemente otorgaban el nombre fonéticamente equivalente.

No falta evidencia histórica que nos muestra cómo al principio, los indígenas mexicanos estaban renuentes a aceptar el nombre de un santuario español para su bienamada Virgen, sin tomar en cuenta el hecho de que éste fue formalmente impuesto en 1560, y que en su lugar utilizaban nombres de su propia invención. Por ejemplo, descubrimos en los códices históricos indígenas que aún al final del siglo dieciséis, los nativos no usaban normalmente el nombre de Guadalupe: por el contrario, llamaban a la divinidad "Tonatzin" y otros nombres pseudo paganos, que, como hemos observado, eran causa de considerables fricciones al inicio de la Iglesia en México. En una narración de las apariciones, conocida como "Inin Huey Tlamahuizoltzin" (Miren un gran milagro) y que los historiadores creen que antecede al "Nican Mopohua", el nombre de Guadalupe está ausente significativamente. A través de su ausencia, se confirman los datos en los códices indígenas.

Becarra Tanco, el hombre que jugó un papel importante en los Procedimientos Apostólicos de 1666, escribió que el nombre de Guadalupe había sido objeto de innumerables cuestionamientos en el medio de los colegiados por largo tiempo, concluyendo que Nuestra Señora había utilizado la palabra azteca fonéticamente similar, de Tequantlaxopeuh (que se pronuncia Tequetalope), y significa "La que nos salva del Devorador". En esa época, el Devorador significaba tanto Satanás como el terrible dios pagano. El Padre Florencia ratificó esta teoría en su breve historia de las apariciones, "Estrella del Norte", publicada en 1688. En otras palabras, Nuestra Señora, se estaba identificando como la Inmaculada Concepción, la que vencería a Satanás. Es sabido que el Obispo Zumárraga escribió a Cortés el 24 de diciembre de 1531, invitando al conquistador a participar en la triunfante procesión que llevaría la sagrada imagen desde la capital hasta la primera ermita, y que se había referido al cuadro de Nuestra Señora como la Inmaculada Concepción. Podemos concluír de esto que el Obispo fue corregido posteriormente en su malentendido, aunque no tenemos ninguna prueba de ello, y definitivamente, el título de Inmaculada Concepción nunca sustituyó al de Guadalupe.

El misterio aún no había sido totalmente aclarado hasta que , en 1895, el Profesor D. Mariano Jacobo Rojas, director del departamento de Nahuatl en el Museo Nacional de Arqueología, Historia y Etnología. llevó acabo un intenso estudio científico de la palabra Guadalupe. Llegó a la conclusión que la Virgen utilizó la palabra "Coatlaxopeuh" , que significa " la que vence, pisotea y aplasta a la serpiente" , y que nuevamente era el equivalente de Inmaculada Concepción. Su veredicto fue corroborado por dos autoridades independientes en 1936 y 1953. Después de un exhaustivo estudio mas profundo sobre el tema, un Jesuita belga escribió un libro analítico en 1931 titulado, La Nacionalidad Mexicana y la

Virgen de Guadalupe, en el cual enfatizaba que era de esperarse que Nuestra Señora diera un mensaje de tan trascendental importancia a Juan Bernardino en su propio idioma, para que él pudiera entender las palabras y repetirlas con exactitud, en lugar de un mensaje que contuviera una palabra Arabe como Guadalupe que no pude deletrearse ni pronunciarse en Nahuatl. Así mismo, debemos tomar en cuenta, que en el momento de las apariciones, los Franciscanos preparaban a sus feligreses para la fiesta de la Inmaculada Concepción. En sus sermones, frecuentemente se referían a ella como "la que aplasta la serpiente", conscientes que causaría una profunda impresión en los Mexicanos ya que también significaba el aniquilamiento de su temible dios serpiente.

Un estudio reciente (al rededor de 1950) sobre la palabra Guadalupe, fue relizado por la occisa Helen Behrens , una de las autoridades más reconocidas de este siglo sobre la sagrada imagen. Fue asistida por el notable erudito en Nahuatl, Byron MacAfee. En su reporte, declara: "Ni el Obispo Zumárraga ni ningún otro de los prelados españoles fueron capaces de explicar porqué Nuestra Señora deseaba que su imagen fuera conocida como Guadalupe. La razón debe ser que la Virgen ni siquiera pronunció la frase. Habló en la lengua nativa, y la combinación de palabras que utilizó debe haber sonado como "de Guadalupe" para los españoles. La palabra azteca "tecoatlaxopeuh" tiene un sonido similar. "te" significa "piedra"; "coa" significa "serpiente"; "tla" es el sustantivo que finaliza, que puede ser interpretado como "la"; mientras que "xopeuh" significa "aplastar" o "pisotear". Por esto, la preciosa imagen sería conocida (por el nombre de) la Totalmente Perfecta Virgen, Santa María, quien aplastaría, pisotearía o erradicaría a la serpiente de piedra."

Como ya lo sabemos, esta última se trataba de Quetzalcoatl, la temida serpiente emplumada, la más monstruosa de todas las deidades aztecas originales, a quien anualmente se le ofrecían 20,000 sacrificios humanos. Si esta interpretación es correcta - y muchos expertos sobre Guadalupe están convencidos de ello -, entonces la Santísima Virgen estaba insinuando que Ella aniquilaría a todos los dioses aztecas detrás de quienes, desde luego, se encontraba Satanás.

Esto nos hace recordar el Gen.3:14,15: "El Señor Dios dijo a la serpiente.....Estableceré una enemistad entre tú y la mujer, entre tus progenitores y los de ella. Ella aplastará tu cabeza, mientras que tú yacerás emboscándola a sus pies".

En el Apoc. 20: 2, la serpiente es identificada especificamente como Satanás. Y precisamente lo trascendente, es su victoria sobre la serpiente. Como resultado directo de las apariciones, sobrevino la mayor conversión al Cristianismo en masa de toda la historia .

En conclusión, es dificil pensar que la Virgen se haya referido a sí misma específicamente como "La Inmaculada Concepción", ya que el dogma aún no estaba definido. No fue sino hasta 1854, cuando este dogma fue promulgado por la Iglesia, que Ella públicamente confirmó (en Lourdes, en 1858) ,esta dignidad única que Dios le había conferido. Es significativo el hecho de que en las áreas de México en las que aún se habla el Nahuatl, los habitantes todavía se refieren a la sagrada imagen como Santa María de Quatlasupe (un poco más fácil de pronunciar que Te Coatlaxopeuh) en lugar de la versión española, Nuestra Señora de Guadalupe. Una de las principales razones por las que el nombre de Guadalupe llegó a arraigarse tan firmemente en el mundo de habla inglesa, es que casi todo nuestro conocimiento sobre el tema ha llegado de España, en lugar de recibirlo de traducciones aztecas.

III

LA CONVERSION DE LOS AZTECAS

Al día siguiente, Juan Diego y su tío fueron escoltados triunfantes hasta la residencia del Obispo, donde permanecieron por dos semanas como invitados de honor . Mientras tanto, miles de personas se dirigían a la catedral para ver personalmente a "la Madre del Dios del hombre blanco".

Era una sublime experiencia contemplar el silencioso esplendor de la sagrada imagen. Las facciones de la Virgen, inexplicablemente delicadas, eran las de una bella joven, de tez morena, mejillas sonrosadas y cabello café oscuro. Sus ojos, mirando hacia abajo en señal de humildad, tenían tanta expresión que parecían de una persona viva. Vestía una túnica color de rosa, cubierta con un encaje fino elaborado con un exquisito diseño floral de oro. Cubría su cabeza un manto azul - verde que caía hasta sus pies. La resplandeciente belleza de su persona, junto con un aura indefinible de presencia sobrenatural, han cautivado a un sinnúmero de personas hasta nuestros días.

Cuatro siglos después, Coley Taylor,un autor americano, describió gráficamente el extraordinario impacto visual que causa la sagrada imagen. "Mientras más la contemplamos," escribió, "más milagrosa parece...Cuando observas la costura, que está truncada, te extraña cómo puede mantenerse unida. La expresión de la cara de Nuestra Señora es totalmente indescriptible. Es tan tierna, tan afectuosa, tan humana en su enigmática sonrisa, mucho más desafiante que aquella de la famosa Mona Lisa de Leornardo. Las reproducciones no reflejan la delicadeza y suavidad de la forma en que se amoldan de sus labios. En algunas, los ojos parecen abultarse y los labios casi fruncidos, pero esto no existe en el original - todos sus contornos son bellisimos.Y la característica sobresaliente está, desde luego,en los ojos, que no se ven como los pintados en un retrato, sino llenos de vida, ojos humanos, con el contorno exacto que deben tener los ojos.

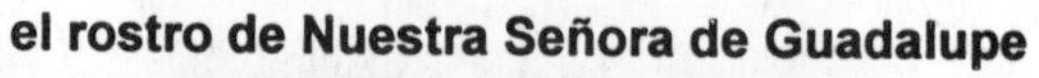

el rostro de Nuestra Señora de Guadalupe

"Para mí, el punto más extraño es este: normalmente, cuando uno se acerca a una pintura, los detalles son mas nítidos que cuando los observamos a distancia. Pero con el cuadro sagrado no sucede ésto. De cerca difícilmente se pueden distinguir las estrellas de su manto, mientras que a distancia se ven radiantes. Desde un andamio cercano, su manto no es de un azul verdoso como el que vemos a distancia, sino mucho más azul y de un azul oscuro. Visto de cerca, su vestido es de un rosa pálido, pero de lejos es de un rosa intenso.

Esta contradicción a la lógica me intriga enormemente y nos desconcierta a todos. Y es, o debe ser, parte del fenómeno de "cambio de dimensiones" que enfrentamos cuando la pintura parece ser de gran tamaño al observarla desde el pasillo central de la Basílica y se reduce a "normal" cuando uno se acerca. Esto también es ilógico. Y siempre existe una tremenda sensación de presencia, una gracia magnética qué nunca había experimentado con ninguna otra pintura, religiosa o seglar, que haya admirado o amado. Y eso que durante mis veinticinco años en Nueva York, he visto, estudiado y admirado muchas obras maestras - del Greco, Goya, Leonardo, Miguel Angel, Rafael, Verneer, Holbein, Rembrandt, Raeburn, Tiziano - en las colecciones permanentes de los museos, en colecciones privadas, y en la grandiosa exhibición de la Feria Mundial. No existe nada comparable con el retrato de Nuestra Señora. Todo lo que puedo decir, es que ella dejó algo de su presencia en él.

"Otra de las cosas que todos hemos notado - su cara parece estar 'pobremente iluminada'. No es así. Creo que la mantiene un poco sombreada - tal vez por modestia - a ninguna dama le gusta que la miren fijamente. Aquí tenemos otra contradicción, (en lo que se refiere a esta pintura). Su cara es mucho más clara vista en detalle desde cerca, pero cuando la observamos, aún desde el pié del altar, aparece velada por sombras. Esto es tanto una paradoja como un deleite más allá de toda palabra. Y es esta presencia gentil, esa innegable bondad, esta radiancia enigmática, que ningún artista ni reproducción pueden captar. De una misteriosa manera sobrenatural, Ella todavía esta aquí en Tepeyac...."

Se ha sugerido que en lo que respecta a su semblante y vestido, Nuestra Señora no tiene apariencia de mexicana, sino de Judía. Las mujeres mexicanas, tanto ricas como pobres, vestían blusas de manga corta y cuello cuadrado, y sus faldas llegaban justo abajo de la rodilla. Sin embargo, los vestidos de la sagrada imagen, son largos al piso, como los usados por las mujeres árabes y judías en Palestina durante el invierno. Como la moda en Tierra Santa ha cambiado muy poco en los últimos 2,000 años, estamos tentados a especular que la pintura de Nuestra Señora de Guadalupe representa el aspecto que Ella tiene actualmente sobre la tierra, aunque de esto no podemos estar seguros. Sin embargo, vale la pena señalar que uno de los expertos Guadalupanos, Fray José de Guadalupe Mojica, O.F.M., quien sostiene la creencia anterior, después de llevar a cabo una intensa investigación sobre el asunto, tiene la peculiaridad de ser uno de los únicos escritores que sospechó de la existencia de pinturas agregadas sobre el tilma.

Sin embargo, es innegable que la Virgen irradia un sentimiento de pureza, el que ha inspirado a generaciones de mujeres mexicanas a imitar. El Padre Florencia, S.J., notó el extraordinario efecto que producía la contemplación de la sagrada imagen, escribiendo al respecto hace varios siglos: "Permitamos que todas las mujeres, sin importar su rango, encuentren en la pintura de la Suprema Señora, una figura de pureza y un espejo de modestia: dejémoslas imitar su decoroso recato y la propiedad de su casto atavío. De esta pintura, como del reflejo de un cristal,emanan al igual muestras de honor y pureza como de luz y esplendor. Permitámosles aprender de ella lo que deben imitar en sus propias vidas, cómo deben corregir su vestido, y a lo que deben renunciar para no producir escándalo".

Las primeras multitudes que contemplaron la milagrosa pintura con reverencia y admiración corrieron la voz por todo México sobre el prodigio, atrayendo inmensas muchedumbres a la catedral. Miles de personas se arrodillaban fascinados ante el retrato celestial, sucumbiendo a la extraordinaria dulzura de su poder, bebiendo de la pureza etérea de su belleza. "Para aquellos que disfrutan la dicha de agasajar y beatificar sus ojos con la contemplación de tan supremo objeto", escribió Fr. Florencia, S.J., en 1675 "cualquier otra pintura parecerá como una mancha.". El historiador Clavigero, escribió en 1758 sobre "los favorecidos" que tienen la "incomparable dicha de observar la pintura más bella y majestuosa de Guadalupe"

Al sucumbir a la bondad de la Señora celestial, los Aztecas paganos fueron inconscientemente guiados por ella hacia los pies de su Divino Hijo. Al contemplar cautivados la bondad sobrenatural de sus facciones se forjaron lazos permanentes de amor y confianza, uniendo sus almas a Ella como con cadenas de oro invisibles. "Ante esta presencia maternal," como lo expresó Fr. H. Rahm, S.J, cientos de años después, " se siente la sencilla inocencia y dulce cercanía de un niño amado".

Mientras tanto, Fray Juan de Zumárraga consideraba la contrucción de un santuario adecuado en Tepeyac de acuerdo a la voluntad de Nuestra Señora. Ya que numerosos peregrinos escalaban el escarpado cerro para arrodillarse y rezar en el sitio de las apariciones,era imperativo que, sin demora, se erigiera una capilla temporal, hasta que pudiera edificarse un santuario más adecuado y permanente. Muchos voluntarios mexicanos y españoles se aprestaron a ofrecer su trabajo, y en dos semanas, habían terminado una pequeña ermita o capilla de piedra.

El 26 de diciembre de 1531, una procesión triunfante transportó la sagrada imagen desde la catedral hasta Tepeyac. Conducida por el Obispo Zumárraga, seguido por misioneros Franciscanos y Dominicanos y por una vasta concurrencia. Excitadas multitudes con ánimo de carnaval, se alineaban a través de las angostas y retorcidas calles. Embarcaciones vistosamente decoradas, perturbaban las brillantes aguas del Lago de Texcoco en cada lado de la calzada; flores esparcidas a través de la ciudad a todo lo largo de la la ruta.

Miles de mexicanos bailaban y cantaban rodeados de celebraciones musicales, de alegría y esplendor, ondeando verdes ramajes y hierbas de dulce aroma. "La Virgen es una de nosotros", cantaban jubilosamente. "Nuestra Madre pura! Nuestra Madre Suprema es una de nosotros!"

Un grupo de mexicanos, en un momento de excitación, lanzaron al cielo una lluvia de flechas, y una de éstas golpeó a un espectador en el cuello, matándolo instantáneamente. El cadáver fue transportado, entre el apenado gentío, hasta la capilla en Tepeyac y puesto ante la sagrada imagen que el Obispo Zumárraga acababa de depositar con veneración. La multitud se aglomeraba dentro y alrededor de la pequeña ermita, rezando fervorozamente por un milagro. Todas las voces se alzaron en un ruego suplicante a la Madre de la religión Cristiana. Minutos después, el hombre muerto abrió los ojos y se levantó completamente recuperado.

milagrosa salvación de un indigena alcanzado por una flecha durante el jubiloso traslado del la Virgen a su nueva casa

A los susurros de asombro siguió una explosión de alegría indescriptible. Espontáneamente, mexicanos y españoles se abrazaron unos con otros en una genuina manifestación de amor fraterno. Mientras que esta pasmosa demostración del poder de Nuestra Señora reflejaba olas de emoción a través del país, la enemistad que había envenenado las relaciones entre las dos razas comenzó gradualmente a disminuír, sin embargo, pasarían algunos años más antes de que terminaran totalmente.

Una antigua canción mexicana, "Teponazcuicatl", adaptada al Cristianismo, ha preservado en la memoria esta inolvidable ocasión:

Con deleite he visto el despertar de flores perfumadas
En tu presencia, Santa María.

Junto a las aguas quietas, he escuchado a Santa María cantando:

Yo soy la planta preciosa con brotes escondidos;
Yo fuí creada por el Unico y Perfecto Dios;
Yo soy suprema entre todas Sus criaturas.

Oh, Santa María, tu vives de nuevo en tu lienzo.
Y nosotros, los dueños de esta tierra
del libro de himnos cantamos juntos,
En perfecta armonía danzamos ante tí.
Y tú, nuestro Obispo, nuestro Padre, predicas
Allá, junto al lago.

Con la belleza de las flores te creó Dios, Santa María!
Y renaciste, a través de una sagrada pintura,
En este, nuestro Episcopado.

Delicadamente, fue pintada tu imagen,
Y sobre el lienzo sagrado, está oculta tu alma.
Todo es perfecto y completo en tu presencia,
Y ahí,si es la voluntad de Dios, Yo viviré por siempre.

¿Quién seguirá mi ejemplo?
¿Quién correrá detrás de mí?
Oh, arrodillémonos a su alrededor
Cantemos dulces melodías
Y esparzamos flores en su presencia!

Llorando, comulgo con mi propia alma,
Que el propósito completo de mi canción, pueda hacerse conocida,
Y que el deseo de mi corazón se realice,
Con la construcción de la casa de la Virgen.
Entonces, mi alma descansará allí,

Y se conocerá perfume más exquisito que la fragancia de las flores
Y mi himno se alzará en alabanzas para el bello florecimiento
Que forma Su adorno perpetuo.

La flor de la cocoa derrama su fragancia
La flor de la pomoya perfuma cada calle
que nos lleva al santo lugar.
Y allí, yo, el dulce cantor, viviré.
Atiendan, Oh Escuchen my himno de alegría

Cuando finalmente, terminaron las ceremonias, el Obispo Zumárraga colocó a Juan Diego a cargo de la nueva capilla, a la que se había agregado una habitación para su albergue. Después de traspasar su propiedad en Toltepec a su amado tío, Juan se estableció en Tepeyac, para dedicar el resto de su vida a custodiar el nuevo santuario y propagar la historia, explicando el significado de las apariciones. De acuerdo a uno de los más antiguos documentos sobre la historia de Guadalupe, el mexicano que había sido resucitado, también permaneció en Tepeyac, manteniendo la pequeña ermita limpia y arreglada ya que ola tras ola de peregrinos cruzaban sus angostas puertas con una corriente siempre creciente de devoción.

Al explicar Juan a los peregrinos el mensaje y significado de las apariciones, ponía mucho énfasis en el hecho de que la Madre del Dios Verdadero había escogido venir al sitio dónde una vez estuvo el templo de la diosa madre pagana Tonatzin, que Cortés había destruido, para hacerles comprender que el Cristianismo reemplazaba a la religión azteca. Este apabullante hecho, causaba un gran impacto en los mexicanos, que por varios años después de las apariciones, se referían a la sagrada imagen como “Tonantzin (“Nuestra Madre”) o Teo-nantzin (“Madre de Dios”). Esta expresión sincera de su devoción, era reprobada por ciertos misioneros, quienes temían que los condujera, inconscientemente, de regreso al paganismo.

El reciente apostolado de Juan Diego, fue descrito gráficamente por Helen Behrens: "Cuando se terminó de construir la pequeña capilla en el cerro del Tepeyac, cuyo tamaño era de quince piés por quince piés, el Obispo Zumárraga nombró a Juan Diego como su encargado. Después partió a España, donde permaneció hasta el año 1534. Sin embargo, estaba seguro que Juan era la persona más capaz y digna para ser el guardián de ese maravilloso tesoro enviado del cielo. Juan Diego hablaba nahuatl y era cristiano. Explicaba la religión del hombre blanco, a los indígenas que acudían a ver la imagen. Relataba la historia de las apariciones y repetía las palabras de la Santísima Virgen una y otra vez, miles de veces, hasta que todos conocían la historia. Cuando los indígenas se presentaban ante los misioneros, ya habían sido convertidos por Juan Diego. No existe otra explicación para la asombrosa conversión en masa de los aztecas.

Habiendo iniciado a los mexicanos dentro de la doctrina básica del Cristianismo, Juan Diego los enviaba a los misioneros, quienes terminaban el trabajo de evangelización. Como providencia divina, ya existían medios de comunicación adecuados en el vasto país, las ciudades se conectaban regularmente gracias a veloces mensajeros. Como consecuencia, las noticias sobre los eventos milagrosos de Tepeyac y sobre el apostolado de Juan fueron del conocimiento común en todos los rincones. Como México era una tierra en la cual el arte florecía, circularon de costa a costa, miles de copias de cuadros de la sagrada imagen con la historia de las apariciones escrita en códigos, y así proporcionaban a la gente lo más cercano a un relato vívido audiovisual completo de la dramática historia.

Hasta el año de 1531, el Sacramento del Bautismo, se había administrado principalmente a moribundos y niños, - las instituciones eclesiásticas se hacían cargo de los innumerables huérfanos de guerra - La gran mayoría de aztecas adultos se habían resistido a los esfuerzos de los misioneros , ya que, convertirse al Cristianismo, significaba el abandono de la poligamia. Sin embargo, cuando el culto a Nuestra Señora de Guadalupe comenzó a expandirse a través del país, un gran número de nativos de todas las edades y clases empezaron a desear un nuevo código moral, basado en el ejemplo de la Madre del "Dios del hombre blanco", que ahora, únicamente podía ser la Madre del Dios Verdadero, su "Madre pura", quien había cautivado su mente y corazón con su radiante pureza, virtud y amor.

Por consecuencia, los pocos misioneros del país pronto estuvieron sumamente ocupados predicando, adoctrinando y bautizando. El goteo de conversiones, rápidamente formó un río y ese río una inundación, misma que probablemente no tiene precedente en la historia del Cristianismo. En esta época, la iglesia perdió 5,000,000 de Católicos debido a la Reforma en Europa, pero este número fue recuperado en pocos años, con la conversión de más de 9,000,000 de aztecas. Un famoso predicador mexicano del siglo diecinueve, el Dr. Ibarra de Chilapa, expresa gráficamente esta marejada de conversiones como sigue:

"Es cierto que inmediatamente después de la conquista algunos hombres apostólicos, misioneros celosos de su deber, conquistadores apacibles y gentiles, quienes estaban dispuestos a no derramar otra sangre que la suya, se dedicaron fervientemente a la conversión de los indígenas. Sin embargo, a pesar de sus heróicos esfuerzos, estos hombres valientes, obtuvieron pocos y limitados resultados, mas que nada por su reducido número,el territorio tan extenso que tenían que cubrir y su dificultad de aprender varios lenguajes.

Pero, tan pronto la Santísima Virgen de Guadalupe apareció, tomando posesión de su herencia, la Fé Católica se extendió a través del extenso territorio y más allá de los límites del antiguo imperio de México con la rapidez de la luz del sol naciente. Incontables multitudes de cada tribu, de cada distrito, de cada raza pertenecientes a este inmenso país, quienes eran altamente supersticiosas, gobernadas a base de crueldad, oprimidas por toda clase de violencia, totalmente degradadas, reaccionaron ante el creíble anuncio de la admirable y prodigiosa aparición de Nuestra Señora de Guadalupe; reconocieron su dignidad natural, olvidaron sus desdichas; hicieron a un lado su instinto feroz; e incapaces de resistir tales muestras de dulzura y ternura, llegaban en multitudes a poner sus agradecidos corazones a los piés de tan afectuosa Madre, y mezclaban sus lágrimas de emoción con las aguas regenerativas del Bautismo.

"Fue Nuestra Señora de Guadalupe, quien logró incontables prodigios de conversión a la Fé, con las irresistibles atracciónes de su gracia, y las ingeniosas demostraciones de su amable caridad. Por consiguiente, Ella puede decirnos, con mayor razón que la del Apostol San Pablo a los Corintios: Aunque tuvieran diez mil preceptores y maestros en la Fé de Jesucristo. Yo sola, como su tierna Madre, los he engendrado y procreado.

Todos los misioneros estaban agobiados con las interminables multitudes que solicitaban la doctrina y el bautismo. Algunos sacerdotes tuvieron que otorgar el Sacramento del Bautismo seis mil veces en un solo día. Uno de ellos, el Padre Toribio, escribió: "Si no lo hubiera presenciado con mis propios ojos, no me hubiera atrevido a reportarlo. Tengo que afirmar que en el convento de Quecholac, otro Sacerdote y yo, bautizamos a catorce mil doscientas almas en cinco días, imponiéndoles a todos ellos el, el Aceite Catecúmeno y la Santa Crisma - un trabajo de no poca labor."

A donde viajaran los misioneros, familias enteras salían a su encuentro,desde sus polvorientos pueblos, rogándoles a base de señas que vertieran el agua bendita sobre sus cabezas. Otros, suplicaban de rodillas para que les administraran el Sacramento allí mismo. Cuando la cantidad de nativos era demasiado numerosa y los misioneros no se daban abasto, formaban a hombres y mujeres en dos columnas separadas detrás de un barrote transversal. Cuando se acercaban al primer sacerdote, brevemente, les imponía a cada uno el Aceite Catecúmeno. Sosteniendo velas encendidas y cantando himnos, se dirigían hacia el segundo sacerdote parado al lado de la pila bautizmal. Mientras se administraba el Sacramento del Bautismo, las filas se encaminaban despacio hacia el primer sacerdote quien les otorgaba la Santa Crisma. Entonces, los esposos y esposas unían sus manos, pronunciando juntos los votos matrimoniales para recibir el Sacramento del Matrimonio.

Varios escritores contemporáneos confiables, incluyendo a cierto Padre Alegre, afirmaron que un misionero, un Franciscano flamenco de nombre Peter de Ghent, bautizó con sus propias manos a más de 1,000,000 de mexicanos. "Quién no reconocería el Espíritu de Dios al impulsar a tantos millones para permitir su entrada al reino de Cristo", escribió Anticoli, S.J. "Cuando consideramos que no ocurrió otro presagio o evento sobrenatural que atrajera tales multitudes, ninguno que no fuera las apariciones de la Virgen, podemos establecer con seguridad que fue la Visión de la Reina de los Apóstoles la que trajo la Fé a los indígenas"

Durante el despertar de esta fenomenal conquista misionera, se construyeron por todo el país iglesias, monasterios, conventos, hospitales, escuelas y talleres. En 1552, se estableció, por decreto real y papal, la Universidad de México (ahora la más grande del mundo), colocándola en el mismo abolengo que la aclamada Universidad de Salamanca en España. Se fundaron nuevas sedes episcopales y no pasó mucho tiempo antes de que el México Católico enviara sus propios misioneros nativos al extranjero,especialmente a Florida, a California y tan lejos como al Japón, donde San Felipe de Jesus y sus Compañeros, mártires gloriosos, sufrieron por la Fé en 1597.

la ermita del tepeyac

Mientras tanto, Juan Diego siguió a cargo de la pequeña ermita en Tepeyac, llevando una vida de gran austeridad y humildad. La sagrada imagen se encontraba empotrada sobre el pequeño altar, ante el cual, Juan debió pasar largas horas en devota contemplación. El Obispo, le otorgó el permiso de recibir la Comunión tres veces a la semana - un privilegio casi inaúdito en esos días -. "Su cara y figura, parecían haber adquirido una nueva dignidad", escribió el Dr. C. Wahlig, O.D. "Su frugalidad y disciplina, revelaban el refinamiento de un ascético. Había llegado a ser reverenciado como un hombre de gran cultura y profundo pensamiento, como correspondía a un hombre que llevaba una vida santa".

Durante el Proceso de Información en 1666, un testigo, cuyos abuelos probablemente habían conocido bastante bien a Juan Diego, testificó como sigue: "Siempre se le veía constantemente ocupado con los asuntos de Dios. Llegaba puntualmente a las oraciones y a los oficios divinos, en los que frecuentemente tomaba parte. Los indígenas de su época lo consideraban un hombre santo. Lo llamaban el "peregrino", porque siempre lo veían ir y venir a solas..Los nativos lo visitaban frecuentemente, pidiéndole que intercediera por ellos ante la Santísima Virgen ya que todos lo consideraban un hombre santo, porque solo a él se había aparecido la Virgen. Por otra parte, siempre lo encontraban muy arrepentido, haciendo penitencia.

En algún momento entre 1544 y 1548, de acuerdo a los cálculos de los historiadores, Fray Juan de Zumárraga llegó a la ermita y solicitó a Juan le indicara el lugar exacto de la cuarta aparición. Juan Diego guió al Obispo a través del borde del Tepeyac y, mientras vacilaba, tratando de recordar dónde lo había interceptado la Señora cuando se apresuraba a buscar un sacerdote para su tío enfermo, de repente surgió de la tierra a corta distancia un manantial. Fue entonces, cuando Juan recordó que ese era el punto exacto donde la Virgen le había hablado, pidiéndole que subiera el cerro y reuniera flores para el Obispo.

El agua era y es todavía, clara y fragante aunque su sabor no es agradable ya que es ligeramente ácida. Los peregrinos la apreciaron rápidamente, pues procedía de la Santísima Virgen y muchos enfermos declaraban estar curados después de beberla o ungir sus cuerpos con ella. En 1582, Miles Phillips, un viajero inglés, registró: "Existen aquí baños fríos, donde el agua fluye como si estuviera hirviendo; su sabor es ligeramente salado, pero es excelente para aquellos que lavan sus llagas o heridas. De acuerdo a lo que se dice, a través de ella se han curado muchas personas."

Tres siglos después, un racionalista francés de nombre Eugene Boban, escribió: "El manantial (de Guadalupe), se encuentra en el centro de una pequeña capilla de un muy interesante estilo moro. Una multitud cargada de botellas y jarrones de todos tamaños y formas, se arremolina alrededor para sacar de su fuente el agua milagrosa, justo como el agua de Lourdes, llevándola para curar cualquier enfermedad. Una secuencia interesante sobre lo anterior, producida por el Hermano Bruno Bonnet-Eymard, miembro activo del Centro de Estudios Guadalupanos en Francia. Refiriéndose a su visita a Guadalupe en diciembre de 1979, escribió: " Traje de regreso conmigo un poco de agua del manantial y poco tiempo después, la dí a beber a un hombre jóven cuya situación era desesperada. Hoy día, él goza de perfecta salud sin ninguna otra intervención. Aquellos a su alrededor que no saben nada al respecto, dicen que su recuperación es inexplicable. No estoy declarando que su curación es milagrosa, pero expongo lo que he visto y lo que veo, para mostrar, como decía el Padre Beltrán, 'la confianza fiel' que podemos depositar bajo la protección de Santa María de Guadalupe.

Regresando a nuestra historia: Juan Diego continuó su apostolado en la ermita, mientras México gozaba del buen régimen de la Segunda Audiencia, encabezada por el Obispo Sebastián Ramírez y Fuenleal. La explotación sufrida por los mexicanos a manos de los soldados españoles fue decreciendo considerablemente mientras las dos razas contraían matrimonio y unidas se establecían en armonía social y religiosa. La forma de gobierno del Obispo fue seguida por la sabia administración del Marqués de Mendoza, primer Virrey, y posteriormente, una larga lista de Virreyes y Arzobispos que brindaron al país casi doscientos años de paz y estabilidad política.

En 1544, murió Juan Bernardino a la avanzada edad de 84 años, se dice que antes de morir, fue favorecido por otra visión de la Señora del Tepeyac. Por órdenes del Obispo Zumárraga, fue enterrado bajo la ermita. Cuatro años después murió Juan Diego, el 30 de mayo de 1548. De acuerdo a una piadosa tradición, la Inmaculada Señora de sus visiones, quien lo había llamado su "Hijo muy amado" y su "Más amado hijo", una vez más se apareció ante él para consolarlo en su lecho de muerte. La habitación de Juan en la capilla, se convirtió en baptisterio, mientras que la casa de su tío en Tolpetlac se transformó en una capilla pequeña. Se colocó una placa conmemorativa en la pared del baptisterio, que decía:
"En este lugar, Nuestra Señora de Guadalupe, se apareció a un Indígena de nombre Juan Diego,quien está enterrado en esta iglesia."

El nombre venerable de Juan permaneció en las casas y corazones de millones de mexicanos. El Padre George Lee, C.S. Sp., escribió: "Es sorprende la similitud moral que existe entre él y los pobres y fervientes indígenas: aniñados, dignos, místicos, frecuentemente realizan un intercambio personal con el Cielo que los eleva completamente fuera de sus mezquinos alrededores. Pienso que están benditos a través del ejemplo y la intercesión de Juan Diego. Existen muy pocos personajes, entre los santos no canonizados de la iglesia, más bellos o fructíferos que Juan Diego."

En 1548, Fray Juan de Zumárraga, fue designado primer Arzobispo del Nuevo Mundo. Durante el mes de mayo de ese año, llevó a cabo un agotador viaje al lejano poblado de Tepetlaoztoc, donde bautizó, confirmó y casó alrededor de 14,000 mexicanos. Al regresar a la ciudad de México, se encontraba seriamente enfermo y fue en su lecho de muerte donde escuchó la noticia del fallecimiento de Juan Diego. Recibió la noticia con resignada fé. Sabía que no debía preocuparse sobre la seguridad de la sagrada imagen, aunque su primer fiel guardián ya no estuviera entre ellos. Sin dudar, se volvió con confianza hacia la Santísima Virgen suplicándole velar por ella en los años venideros. Tampoco podía poner en duda, que un día se erigiría en Tepeyac, un glorioso templo, realmente digno de la Reina del Cielo. Un sirviente, le llevó la noticia de la muerte de Cortés seis meses antes en Sevilla,con una oración a Nuestra Señora de Guadalupe en sus labios Zumárraga murió sólo tres días después de que Juan Diego lo precediera hacia la eternidad y a la presencia de Nuestra Señora de Tepeyac.

IV LAS BASES HISTORICAS DE GUADALUPE

Es importante que hagamos una pausa para rastrear las bases históricas de las apariciones en el Tepeyac, antes de continuar relatando el desarrollo subsecuente del culto a Nuestra Señora de Guadalupe. Esto podría en principio parecer innecesario , ya que la realidad de las apariciones parece incuestionable, particularmente con la evidencia de las inmensas consecuencias de gran alcance que se pusieron en movimiento. Desafortunadamente, la mayoría de los documentos originales referentes al gran evento de 1531 no sobrevivieron a los siglos, y los críticos racionalistas no han parado en intentar probar que las apariciones solo eran un mito, que el retrato sagrado no era más que un cuadro, y que el culto a Nuestra Señora de Guadalupe estaba basado asimismo, en la superstición, o que era el producto de una aleación entre las creencias paganas y las Cristianas. Es un síntoma de nuestra incrédula época presente, que eventos anteriores que prueban un origen sobrenatural incuestionable (como los milagros de Cristo y los forjados por santos), se expliquen como meras "leyendas" o "mitos piadosos". En el caso de Guadalupe, algunos intelectuales agnósticos, han explotado al máximo, tanto la escasez de documentos originales y otros factores tales como el silencio que guardó el Obispo Zumárraga en lo referente a las apariciones, y el notorio sermón de Fray Francisco de Bustamante en 1556, denunciando que la sagrada imagen solo era una "pintura indígena". Por consiguiente, es importante demostrar que tanto las apariciones como el mismo retrato celestial y el culto a Nuestra Señora de Guadalupe estan basados en hechos históricos y sólidamente reales. Esto, independientemente del hecho, de que recientes investigaciones de la ciencia moderna, han subrayado el origen sobrenatural de la sagrada imagen.

Puede explicarse parcialmente, que la escasez de documentos originales relativos a Guadalupe se debió a la gran insuficiencia de papel que tenía México en aquellos tiempos, de lo cual existen firmes evidencias como veremos más adelante; pero especialmente, por el simple hecho de la existencia del retrato milagroso venerado en el Tepeyac,que era por sí mismo suficiente evidencia para los mexicanos, un pueblo desacostumbrado a guardar el registro de los eventos, por lo cual, probablemente no se les ocurrió poner por escrito la crónica de las apariciones. La historia del Imperio Azteca antes de la llegada de los españoles, se deriva casi en su totalidad, de testimonios posteriores, reunidos por los relatos de la conquista, y de transcripciones de códices indígenas copiados por Boturini, Gama, Pichardo y otros, varios siglos después, ya que los originales se han perdido.

Aunque no puede afirmarse con seguridad, a que grado fueron responsables estos dos motivos de la insuficiencia de registros contemporáneos sobre Guadalupe, no es necesario enfatizar firmemente, que la evidencia escrita sobre acontecimientos pasados, no es el único factor que se requiere para su validación. Debe tomarse en cuenta el valor de la tradición - algo transmitido de generación en generación por gente que cree seriamente en la importancia de su preservación. "En verdad, la tradición, en su mejor sentido eclesiástico, es de toda verdad transmitida (traditum) y toda verdad por trasmitirse (tradendum), es la única historia completa" escrito por Fr. George Lee.

En el caso de Guadalupe, la creencia tradicional en las apariciones y en la imagen milagrosa ha fluido extensa y profundamente a través de los corazones de innumerables millones de mexicanos, desde la mitad del siglo dieciséis hasta nuestros días. Como podremos apreciar, la evidencia de esta viva tradición se mantiene decisivamente por las indiscutibles aunque escasamente documentadas pruebas.

Nos habíamos referido previamente, a los códices mexicanos que describían las apariciones acompañadas por copias pintadas de la sagrada imagen que circularon por todo el país. Estos relatos, realizados en forma geroglífica, eran memorizados por cantores y declamados a pueblos enteros. Con el desarrollo de la educación, la historia se tradujo al idioma mexicano Nahuatl utilizando caracteres latinos. La copia más antigüa de esta traducción,aún existente, fue encontrada en los archivos del santuario Guadalupano en el año de 1649 y, aunque para entonces había pasado más de un siglo desde el gran evento de 1531 , los eruditos reconocieron que esa dicción pertenecía indudablemente al período inmediato que siguió a las apariciones. Se cree que el autor fue Don Valeriano, un noble azteca, quien escribió más tarde el celebrado Nican Mopohua, un relato mucho más comprensible y del que hablaremos después. Han sobrevivido al paso de los siglos algunas otras referencias escritas sobre las apariciones, de las cuales algunas son casuales, pero otras tienen un sentido mucho más claro y confirmatorio. Por ejemplo, el testamento de un pariente de Juan Diego incluye este pasaje: "Por este medio (Juan Diego), se realizó el milagro sobre el Tepeyac, donde apareció la amada Señora, Santa María, cuyo amable retrato observamos en Guadalupe". Otros testamentos del siglo dieciséis, aún existentes, mencionan el santuario de Tepeyac. Bartolomé López de Colima escribió el 15 de noviembre de 1537: "Es mi deseo que se digan cien Misas por el reposo de mi alma en la Casa de Nuestra Señora de Guadalupe, el costo se reducirá de mi fortuna". Asimismo, todavía existen otras evidencias anteriores a 1556, de varios testigos confirmando la propagación del culto a la Virgen de Guadalupe.

Es de primordial importancia el incuestionable documento auténtico encontrado recientemente en los registros mexicanos de la Biblioteca Nacional de París a 6,000 millas de distancia de Guadalupe. Se trata del testamento de Don Francisco Verdugo Quetzalmamalitzan, Jefe de Teotihuacan, fechado el 2 de abril de 1563. "Lo primero que ordeno es que, si Dios me redime de esta vida, deben darle a Nuestra Señora de Guadalupe, cuatro pesos de limosna, para que el sacerdote a cargo de la iglesia diga Misas por mi reposo." Lo que resulta extraordinario sobre este testamento, es que menciona un evento también contenido en el Nican Motecpana (un documento con fecha posterior al Nican Mopohua, que trata sobre los milagros atribuidos a la sagrada imagen) que menciona cómo escapó Teotihuacan a una represión severa, seguida de una insurrección local, a través de la intercesión de Nuestra Señora de Guadalupe. La fecha citada de este episodio por el autor del testamento difiere de la mencionada en el Nican Mopohua por solo un mes. El Hermano Bruno Bonnet-Eymard, dice: "este error es la garantía de la independencia de los dos documentos, uno confirma la autenticidad del otro".

En 1790, el Dr. Bartolache, autor de un famoso libro sobre Guadalupe, pudo descifrar una anotación encontrada en los Anales Tlaxcaltecas en la librería de la Universidad de México: Decía:"Año

1531, se apareció a Juan Diego la amada "Señora de Guadalupe de México", llamada del Tepeyac. Año de 1548, muere Juan Diego, a quien se le apareció la amada Señora de Guadalupe de México".

En el interior de esta misma Universidad, también existe un manuscrito muy antiguó que detalla la historia de las apariciones, del que cierto Dr. Uribe declaró públicamente en 1777 (en un momento cuando cualquiera podía verificar su historia): "La historia de este mismo (milagro) en lengua mexicana, se encuentra hoy en los archivos de la Real Universidad; y su edad, aunque no se conoce el año, es reconocida como muy cercana a la época de las apariciones. Esto se hace manifiesto, tanto por la forma de los carácteres como por el papel, que es de agave el cual utilizaban los indígenas antes de la conquista".

Al escribir en 1686 el Padre Francisco Florencia, teólogo Jesuita anotó: "Antes de la gran inundación de la ciudad (1629-34), el día que celebraban la fiesta de las célebres apariciones en el santuario de Guadalupe, los mexicanos estaban acostumbrados a congregarse en inmensas multitudes, con vestidos festivos de rico plumaje. Después formaban un círculo que ocupaba el área completa anterior a la iglesia, danzaban al ritmo de la música, y, de acuerdo con su costumbre, dos ancianos tocaban un instrumento llamado "teponaztli". Al mismo tiempo y a un compás de acuerdo a su lengua, los músicos cantaban canciones sobre las Apariciones de la Santísima Virgen a Juan Diego, de los mensajes que la Suprema Señora pidió le transmitiera al Obispo, Don Fray Juan de Zumárraga, de la entrega de las flores, cuando la Madre de Dios se las dió a Juan, y de la aparición, cuando enseñó las flores en presencia del Obispo, del Santo retrato que apareció en su manto o tilma. En suma, cantaban los milagros que la sagrada imagen había forjado el día que fue colocada en la primera capilla, así como las alabanzas y júbilo con las que los nativos habían celebrado el evento". El Padre Florencia debe haber visto este espectáculo cuando era un niño, o quizá escuchó el relato de sus padres.

Aparentemente se escribió un relato completo de la historia de Guadalupe que ha sido aceptado como genuino, aunque la copia original no ha sobrevivido. Fue redactado en algún momento entre 1548 y 1554 por un noble azteca, mencionado anteriormente, que tomó el día de su bautismo el nombre de Antonio Valeriano. Se trataba de un intelectual de considerable posición. Escribió su historia en el lenguaje nahuatl. Se conoce universalmente como el Nican Mopoua, que significa "aquí se cuenta", las dos primeras palabras con que inicia su relato, continuando como sigue:

Aquí se cuenta, en orden y avenencia cómo hace poco milagrosamente se apareció, la siempre Virgen Santa María, Madre de Dios, Nuestra Reina, en el Tepeyac, de nombre Guadalupe.

De acuerdo al historiador, Padre Mariano Cuevas, Don Valeriano nació en Azcapotzalco en el año de 1520 y era sobrino del Emperador Moctezuma. A la edad de 13 años, entró al Colegio de la Santa Cruz en Tlatelolco, fundado recientemente por el Obispo Zumárraga. Fue un estudiante brillante y el primer graduado en tener distinciones en Latín y Griego, eventualmente, se convirtió en profesor de filosofía y por veinte años fue decano del Colegio. Asimismo, prestó servicios como juez y por más de treinta y cinco años fue gobernador de la Ciudad de México, desarrollando un excepcional talento administrativo. Debido a que fue amigo cercano de Juan Diego y de su tío, tuvo la ventaja de tener la información de primera mano para registrar la historia.

Don Valeriano murió en 1605, sin dejar herederos. Legó todos sus escritos a un primo lejano, Don Fernando de Alba Ixtlilxochitl, quien los heredó a su hijo, Don Juan. Cuando muere este último en 1682, todos los libros y documentos pasaron a manos del Canon de la Catedral Metropolitana de la Ciudad de México, Don Carlos de Sigueza y Góngora. Después de su muerte en el año 1700, fueron donados al Colegio Jesuita, S.S. Pedro y Pablo, de acuerdo a lo informado por Don Antonio Pompa y Pompa, Director del Museo Nacional de Arqueología y Antropología e historiador oficial de Guadalupe. Cuando los Jesuitas fueron expulsados del país en 1767, los documentos fueron entregados a la Universidad de México. Desafortunadamente, éstos desaparecieron durante la ocupación de la ciudad por tropas americanas - la guerra mexicana de 1847. Después de una extensa búsqueda, se localizaron copias en México y en la Biblioteca de la Sociedad Hispana en América en Nueva York, así como copias del ya referido Nican Motecpana. Sobre este último, lo poco que se conoce, es que parece haber sido el trabajo de un devoto intelectual de nombre Fernando de Alba, aquel sobrino lejano de Don Valeriano.

Don Bernal Díaz del Castillo, historiador y soldado, quien acompañó a Cortés durante su campaña en México, escribió en 1568: "Observen la Santa Casa de Nuestra Señora de Guadalupe.... y contemplen los milagros sagrados que ha realizado y que realiza día a día."

Veintiún años después, Suárez de Peralta anotó en sus "Bosquejos de Nueva España", la llegada del Virrey al santuario, "Llegó ante Nuestra Señora de Guadalupe, que es una imagen de gran devoción, a seis millas de la Ciudad de México. Ha realizado muchos milagros, la tierra entera se apresura a esta veneración."

Papa Benedictino XLV

Durante la mitad del siglo diecisiete, los intereses se centraron en las Actas Jurídicas que concernían a las visiones y a la capilla de Tepeyac. En 1640, el Departamento de Registros Público de la Ciudad de México, aseguró a Fray Miguel Sánchez, importante teólogo y autor, que alguna vez tuvieron en su poder estas Actas. Poco después, durante el Proceso Apostólico de Guadalupe en 1666, Sánchez testificó haber visto al Dr. de la Torre, decano de la catedral y a García de Mendoza, Arzobispo de México "leyendo con gran afecto las Actas y Procesos de dicha aparición". Posteriormente, su testimonio fue comprobado por el Sumario de Benedictino XIV, escrito en 1754, después de una exhaustiva investigación en cada aspecto de la historia Guadalupana. Confirmando que las Actas Jurídicas se habían perdido, Su Excelencia agregó "Es seguro que alguna vez existieron".

Por todo lo anterior, es evidente, que a pesar de la escasez de documentos originales, la creencia en las apariciones de Nuestra Señora de Guadalupe, descansa en bases históricas firmes, aunada a la imperecedera tradición del gran evento en los corazones de los mexicanos. Como el Cardenal Lorenzana lo expresó en 1770, en su sermón en Guadalupe: "Lamentamos la pérdida de las Actas de Autenticación del milagro; sin embargo, no nos fallan, porque permanecen escritas en los corazones de nativos y Españoles. Cuando ocurrió el evento, no existían secretarios, notarios o archivos, pero su testimonio es reemplazado ventajosamente por la tradición, perpetuada en las anotaciones jeroglíficas y mapas de los mexicanos".

Antes de terminar este resumen de evidencia histórica, es necesaria una explicación en lo que se refiere al silencio del Obispo Zumárraga. Al primer vistazo resulta inexplicable, ya que el prelado se encontraba en el centro de este sublime drama. La única carta sobre las apariciones que se cree, escribió - por lo menos la única de la que tenemos conocimiento - estaba dirigida al Convento de Calahorra en Victoria, España. Aunque esta carta ya no puede ser rastreada, en la segunda mitad del siglo dieciocho, un Delegado Franciscano, Fray Pedro de Mezquia, aseguró que "vió y leyó una carta del Arzobispo dirigida a ese convento, relatando tal y cómo sucedieron, las apariciones de Nuestra Señora de Guadalupe." Significativamente, ninguno de sus contemporáneos Franciscanos objetó la existencia de esta carta.

Sin embargo, hasta este día, no se ha encontrado nada más escrito por el Obispo Zumárraga sobre Guadalupe, ni han aparecido registros de su testamento, así como documentos desconocidos o perdidos por un largo tiempo pertenecientes al siglo dieciséis en México que, ocasionalmente salen a la luz en los archivos de varios países.

Ya hemos comentado la crónica insuficiencia de papel en México durante el episcopado de Zumárraga. De hecho, el Sumario de Benedictino XIV en 1754, revela que ni siquiera aparecía una firma del Obispo en México. En una carta dirigida al Emperador Carlos V en 1538, Juan de Zumárraga se queja: " Debido a la escasez de papel, poco es el progreso que realizamos con nuestra imprenta. Este es un obstáculo que nos impide la publicación de mucho trabajo que hemos preparado, así como de aquellos que deben ser reimpresos."

Sin embargo, existía una razón más poderosa para el silencio casi total del Obispo en lo concerniente a Guadalupe, lo que incidentalmente, se asemeja al silencio que envolvió al "Sudario Sagrado" en el siglo catorce. Hemos visto que en la época de las apariciones, los aztecas se encontraban a punto de iniciar una insurrección general contra el despotismo español. Zumárraga como Jefe de la Iglesia Mexicana y Protector Oficial de los Nativos, se encontró capturado entre dos fuegos: por un lado, el martirio en las manos de los vengativos aztecas y por el otro, la persecución creciente de la que era objeto por la tiránica administración civil. Los avaros conquistadores no vacilaron en arrastrar a los sacerdotes de sus púlpitos, amenazándolos con la violencia física si se atrevían a apoyar los derechos humanos de los indefensos nativos. Después de la destitución del déspota Guzmán por el Emperador Carlos V, los ánimos continuaron candentes por algún tiempo y sólo empezaron a menguar bajo la influencia de los cálidos rayos de la aparición en Tepeyac. Por tal razón, Zumárraga estaba forzado a actuar con cuidado. Construyó la capilla en el sitio de las apariciones y promovió su culto discretamente, ya que proclamar abiertamente el hecho de que el Cielo había favorecido a un pobre mexicano, podría haber sido interpretado por las autoridades como una provocación política deliberada. En consecuencia, el Obispo ejerció extrema prudencia por un buen número de años y para complementar sus problemas, pronto tuvo que encarar un nuevo predicamento de un origen enteramente diferente, que se presentó en lugar de la ahora disminuida persecución

Un gran número de sacerdotes misioneros en el país, adoptaron la equivocada doctrina de Lutero que predicaba en contra de la adoración de imágenes, y estaban convencidos que la apasionada devoción que sentían los nativos por la sagrada imagen de Tepeyac, representaba una inclinación muy peligrosa en esa dirección. Asimismo, se preocupaban de que un gran número de mexicanos habían recibido el sacramento del bautismo únicamente como resultado de la contemplación del retrato sagrado y no por instrucción catequística y preparación de la vida Cristiana.

Estas preocupaciones, se agravaron por el inquietante descubrimiento de que algunos de los Cristianos, recientemente bautizados, aún se adherían a los vestigios de sus tradiciones paganas, ocultando ídolos debajo de sus crucifijos, adorándolos a hurtadillas. El Padre Chauvet escribió al respecto: "Se les informó a los misioneros, cómo se colocaban dolos al pié de la cruz o en los escalones debajo de las piedras, para simular que veneraban la cruz, mientras que adoraban al demonio. A la luz de estos hechos, ellos (los misioneros) estipularon que no se alentaría o favorecería el culto de ninguna imagen o templo en particular".

Esta postura claramente iconoclasta y pastoralmente herética fue la causa de muchas fricciones en la recién iniciada Iglesia Mexicana. Si estos misioneros se hubieran percatado de los relativamente pocos convertidos antes de las apariciones, comparados con las multitudes que deseaban el Bautismo como resultado de la contemplación de la sagrada imagen, seguramente hubieran reconocido la evidencia de la intervención directa de Dios y como consecuencia, su deber hubiera sido dirigir sus energías hacia una campaña de catequización sistemática con el propósito de aniquilar los últimos vestigios del paganismo.

Los misioneros eran una fuerza que debía tomarse en cuenta, por lo tanto, podemos entender la decisión del Obispo Zumárraga sobre este dilema, no defender la causa de la sagrada imagen tan abiertamente. Tal vez, sus precauciones fueron justificadas a la luz de los eventos subsecuentes.

En 1556, el nuevo Arzobispo, Don Alonso de Montufar, que no era tan reservado en lo que respecta a la sagrada imagen, predicó en su catedral un sermón en honor de Nuestra Señora y de su imagen milagroso, usando como texto "Benditos sean los ojos que ven las cosas que tu ves" (Mat. 13:16). Recordó a la congregación cómo en la primera sesión del Consejo Laterano "se ordenaron dos cosas bajo pena de excomunión reservado al Sumo Pontífice. La primera era que nadie debería difamar a los prelados y la segunda que nadie debería predicar sobre milagros falsos o inciertos." En otras palabras, el Arzobispo retaba a aquellos que podían censurarlo por defender el culto de Nuestra Señora de Guadalupe.

Dos días después Montufar viajó a la ermita y dijo a los nativos recién bautizados que estaban orando ahí, "cómo debían entender la devoción a la sagrada imagen de Nuestra Señora, que no debían honrar el retablo, ni el retrato, sino a la propia Santísima Virgen a la cual representaban". La reacción de sus oponentes fue inmediata y apabullante.

Más tarde, ese mismo día, el franciscano de provincia Fray Francisco de Bustamante, predicaba a una aglomerada congregación al oficiar Misa en la catedral de la Ciudad de México, completamente consciente de que entre los fieles se encontraba el Virrey del país y sus magistrados. Atacó abiertamente el culto a la sagrada imagen porque "era muy perjudicial para los nativos, ya que alentaba la creencia de que el retrato, que había sido pintado por algún indígena, realizaba milagros y que consecuentemente, era un dios "mientras que , los misioneros se habían esforzado en hacer entender a los nativos que las imagenes eran solo figuras de madera y piedra y que no debían ser adoradas......"

Estas palabras causaron un gran escándalo, e inmediatamente al siguiente día, el Arzobispo indignado abrió una encuesta judicial sobre el desafortunado episodio, durante el cual casi todos los testigos se pusieron de su parte en contra de Bustamante y sus vociferantes defensores. Durante las semanas siguientes, la aspereza entre los dos partidos creció tan ferozmente que el Virrey tuvo que intervenir para evitar algún desastre. Sin embargo, Montufar, renuente a iniciar procedimientos canónigos contra Bustamante, retiró a los Franciscanos la custodia de la ermita de Tepeyac, que, dadas las circunstancias , era la única acción efectiva que podía llevar a cabo.

Este lamentable episodio, aunque estimuló una mayor devoción a la sagrada imagen, comprobó que la anterior prudencia de Zumárraga había sido la más sabia decisión. Como resultado, descendió sobre Guadalupe un manto de silencio oficial, impuesto, según se cree, por Carlos V en España. Este hecho, por sí mismo, ciertamente explica la escasez de documentos originales sobre Guadalupe.

Probablemente, es más que mera coincidencia, el destino similar que alcanzó el "Manto Sagrado" cuando Pierre d'Arcis declaró a aquellos que reconocían como genuina la reliquia "que dicha tela fue astutamente pintada". El Papa Clemente VII, se sintió obligado a intervenir (en 1389) imponiendo silencio a ambas partes involucradas en la disputa, mientras que permitió que continuara la veneración del Manto con la condición de que se considerara una "representación" de la sábana de sepultura de Cristo. Como consecuencia, la donación posterior del Manto Sagrado a la familia Charney, permanece aún envuelta en un misterio.

Sin embargo el incidente sobre Bustamante es importante en un aspecto: la existencia comprobada de su sermón, confirma que con anterioridad al año 1556, la sagrada imagen ya era en esa época, objeto de extensa veneración, y por lo tanto, apreciada como de origen milagroso.

V

EL DESARROLLO DEL CULTO

Durante el siguiente siglo, la pequeña capilla en Tepeyac, conocida como "la ermita de Zumárraga", sufrió varios cambios y renovaciones en su estructura, pero la delicada trama de la imagen sagrada, permanecía expuesta en la húmeda pared de piedra sobre el altar, donde era tocada y besada por literalmente millones de ardientes peregrinos, sin ocurrirle el más ligero daño. Las multitudes que se apiñaban dentro de la pequeña capilla parecían crecer a cada año que pasaba y su fé y fervor era recompensado por un sinnúmero de milagros.

En el año de 1600, se inauguró una capilla más grande (ahora la sacristía de la iglesia parroquial), asistiendo a este acontecimiento; el Virrey, el decano Metropolitano y otros dignatarios civiles y religiosos en presencia de la mayor multitud antes vista en Tepeyac. El nombre y fama del santuario había viajado miles de millas a través del mundo. Ahora, Guadalupe era reverenciada como la Ciudadela de México y Cenáculo del Nuevo Mundo.

la Capilla de El Pocito

En el año de 1622, la capilla fue extendida para lograr una iglesia de tamaño más apropiado. La imagen sagrada fue trasladada nuevamente, todavía en un perfecto estado de conservación, a pesar del hecho de que la delicada fibra del maguey con la que estaba fabricada la tilma tenía una duración de vida normal de veinte años. De acuerdo al historiador Jesuita, Padre Francisco de Florencia, el nuevo edificio "es de tamaño adecuado y bella arquitectura, con dos puertas, una mirando al este que conduce a un espacioso cementerio cuyas paredes están adornadas por merlones, con vista a la Plaza, y coronada por una magnífica cruz de piedra tallada. La otra puerta mira hacia el sur, casi directo hacia la Ciudad de México, su gran portal y sus dos torres brindan grandiosidad a la estructura. Su techo es de dos aguas, con páneles delicadamente trabajados, especialmente sobre la capilla principal, que tiene la forma de una piña dorada y donde se suspenden más de setenta lámparas de plata tanto grandes como pequeñas."

Continúa su descripción: El altar mayor, mirando hacia el norte, posee un retablo muy bien esculpido, dividido en tres secciones: está realizado en alto relieve, dando brillo a su alrededor. En medio de éste, observamos un tabernáculo de plata sólida apreciado más por su belleza que por su valor monetario. Dentro de este tabernáculo se guarda bajo llave la sagrada imagen. La imagen está cubierta de la cabeza a los pies, por una puerta con dos paneles de cristal, a su lado, encontramos dos ricos velos o cortinas, que ocultan a la Virgen cuando no se celebra Misa en el altar mayor, o cuando no se encuentran presentes personas responsables que la cuiden mientras rezan. Sin embargo, cuando este es el caso, se colocan muchas velas sobre el altar, para mostrar a la Señora una mayor veneración y agregárle más a su ornamentación.

De todos los milagros atribuidos al la sagrada imagen durante esos primeros años, solo tenemos espacio para relatar algunos de los más impresionantes. En 1545, fue suprimida casi al instante,una plaga de tifo extendida por toda la nación y que había reclamado miles de vidas, cuando una gran cantidad de niños peregrinos oró por su liberación ante la sagrada imagen. En 1629, una desastrosa inundación anegó la Ciudad de México, ahogando a 30,000 habitantes. Una devota religiosa, la Hermana Petronila, aseguró haber presenciado una visión de Nuesra Señora de Guadalupe sosteniendo las amenazadas paredes de la ciudad. Cuando le preguntó a la Virgen porqué no había intercedido con su Hijo para evitar esta calamidad, Ella le contestó que el pueblo, con sus incontables pecados, había merecido un castigo de fuego aún peor, pero que debido a las oraciones y penitencias de la Hermana, el castigo había sido mitigado a una inundación, la que continuó por cuatro años.

El Arzobispo de México, aceptó la historia de la Hermana, dada bajo juramento y ordenó que trajeran la imagen sagrada del Tepeyac a su residencia en la ciudad, acompañada por salmos, ritos de penitencia y oraciones para su redención. La imagen sagrada fue colocada sobre una pequeña embarcación, única manera de poder transportarla, y el viaje se llevó a cabo bajo una lluvia torrencial, a través de fuertes corrientes llenas de desperdicios y obstáculos que yacían justo debajo de la superficie.

Es posible que en esta ocasión el tilma fue doblado en tres secciones, causando dos pliegues a través del tercio superior e inferior del cuerpo de la Virgen. Cuando llegaron a la Catedral, que estaba mitad inundada el Arzobispo, Don Francisco de Manzoyzuñiga, prometió no regresar la preciosa reliquia hasta que pudiera transportarla "con los pies secos". Finalmente, pudo hacerlo en el año de 1634. Aunque el agua no comenzó a menguar por cierto tiempo, nunca faltaron las súplicas de la gente y cuando sus oracionesfueron escuchadas finalmente, Nuestra Señora de Guadalupe fue proclamada como la Preservadora de México. El gobierno envió a Roma y Madrid un registro de este evento, describiéndolo como un milagro.

Este evento histórico, ha sido vívidamente narrado una vez más, por el Padre Florencia: "Cuando el Arzobispo de México se percató de que la inundación era tan grande y devastadora que todas las calles de la ciudad se usaban como canales, que muchas casas estaban sumergidas con gran peligro para la gente que vivía allí, que la inundación iba y venía, creciendo cada día más, mientras que ningún esfuerzo humano era suficiente para evitar el daño que todos estaban padeciendo - cuando vio todo esto, el Arzobispo decidió que el único remedio era suplicar a Dios, que había castigado a México con mano dura enviándoles esta catástrofe, pero El podía ser persuadido a través de la intervención de Su Misericordiosa Madre, cuya milagrosa imagen había sido un arcoiris de serenidad desde los días de las apariciones y quien, por lo tanto predominaría contra el desbordamiento de los lagos.

"Después de consultar con el Virrey, el Marquéz de Cerralvo y con los miembros principales de la Catedral, y después de una ardua deliberación, el Arzobispo determinó, sacar la imagen de su iglesia para traerla a la Ciudad de México. Como consecuencia, los dos príncipes (El Arzobispo y el Virrey), los Jueces, los Miembros de la Catedral, y una gran concurrencia de Mexicanos, se dirigieron desde la ciudad en una flotilla de canoas, góndolas y pequeñas embarcaciones ricamente adornadas y precedidas por velas y antorchas.Partieron hacia el santuario, impulsados por remos, ya que era imposible ir por tierra. Bajaron la Virgen de la parte superior del altar, donde había reinado durante los últimos cien años y subieron la imagen en la embarcación del Arzobispo, junto con los personajes más importantes de su séquito, remando hasta la Ciudad de México. Todas las naves desplegaban arreglos de luces y música de cornetas y chirimías. El coro de la Catedral, cantaba himnos y salmos, pero con más armonía que alegría, porque, aunque se sentían llenos de confianza en compañía de la Virgen, de quien esperaban un milagro, no estaban del todo contentos.

"Al llegar la flotilla a corta distancia de la iglesia parroquial de Santa Catarina la Mártir, esa doncella sabia y prudente, personificada en su estatua salió a recibir a la Santísima Virgen.Se embarcó en la nave y acompañó a la Virgen en lo que restaba de su viaje, posteriormente fue recibida en la iglesia que era su propia casa, en la cual su distinguida visitante era hospedada con demostraciones de afecto y reverencia por parte de clero, quienes vestían ricamente para la ocasión, y desde la iglesia, se dirigió al palacio episcopal, lugar de nacimiento de la imagen milagrosa, donde fue recibida hospitalariamente para pasar la noche.

Recientemente, se ha insinuado que durante los cinco años de su permanencia en la ciudad, se pintaron sobre la imagen sagrada diseños adicionales, posiblemente para ocultar el daño sufrido por el agua y quien resulta responsable de dichas adiciones, es el Franciscano Fray Miguel Sánchez, predicador y teólogo de esa época.En un ensayo sobre Guadalupe, identificó a la Virgen con la Mujer del Apocalipsis, parada sobre la luna y cargando un niño (Apoc. 12: 1-2.). Ciertamente, es como podemos ver ahora a la sagrada imagen, por la media luna que aparece a sus pies y las borlas que son indicativas de embarazo.

Ciertamente, Sánchez se las arregló para dar la impresión de que él había dispuesto retocar el retrato celestial para asemejarlo a la descripción de la Mujer del Apocalipsis. Al final de su escrito, reconoció que dependió de las enseñanzas del Eclesiástes 38:28. Este capítulo trata sobre artes manuales contrastando con el oficio de escribano que procura sabiduría. El Verso 28, describe a los trabajadores y artesanos “que realizan sellos grabados, y con su constante esmero, varían la figura: y plasmarán su pensamiento en la semejanza del retrato” Del mismo modo, el verso 31 describe al herrero: “El dispone su mente para terminar su trabajo y su mirada para pulirlo hasta la perfección.”

Sin embargo, esta teoría es insostenible, ya que sabemos exactamente cómo se veía la sagrada imagen sesenta años antes de la inundación. En el año de 1570, el Arzobispo de México ordenó que fuera pintada una copia exacta del retrato, la que fue enviada a Felipe II de España. El Rey la regaló al Almirante Andrea Doria, quien la colocó en su cabina durante la victoriosa batalla de Lepanto en 1571 - una batalla de decisiva importancia que ayudó a salvaguardar la Europa Cristiana de la amenaza Turca. Después de permanecer con la familia Doria por varios siglos, en 1811 el Cardenal Doria la donó al Santuario de Nuestra Señora de Guadalupe en San Stefano d’Aveto, Italia, donde hasta este día, permanece como objeto de veneración.

Como consecuencia, al observar esta copia, podemos remontarnos cuatrocientos años en el pasado y contemplar la imagen sagrada exactamente, como se veía en México en el año 1570.

Ahora, la copia que se encuentra en Aveto, posee todos los elementos que, recientemente se han sugerido, fueron sobrepuestos en la sagrada imagen original décadas después de 1570! Por lo tanto si existen adiciones pintadas en la sagrada imagen - lo que todavía se pone en duda - sólo pudieron realizarse en algún momento entre 1532 y 1569. Tal vez Sanchéz alteró la imagen, pero lo único que pudo hacer, fueron pequeñas correcciones, como acortar los dedos para que parecieran más mexicanos y posiblemente agregar un marco de querubines (que posteriormente fue removido, a pesar del gran peligro de dañar la frágil fibra).

Sobre la sugerencia de que el tilma pudo haber sufrido daños debido a la acción del agua durante la inundación, la realidad es que ha probado ser sorprendentemente resistente a elementos aún más peligrosos que el agua. La sagrada imagen estuvo expuesta a la destructiva contaminación de innumerables veladoras prendidas debajo de ella por muchas décadas. El frágil material de ayate (que normalmente se pudre después de veinte años más o menos) ha sido manoseado por incontables creyentes y tocado por varios objetos incluyendo espadas, y hasta este día, permanece en perfecto estado de conservación. Mucho después de la gran inundación, el tilma resistió la quemadura fatal de ácido que salpicó accidentalmente su delicada superficie y aún más increíble aguantó la explosión de una gran bomba que estalló directamente debajo de ella. Por lo tanto, la hipótesis de que el agua le causó algún daño, resulta simplemente insostenible.

A riesgo de anticiparnos a las conclusiones de las últimas investigaciones científicas sobre la sagrada imagen, descritas en el último capítulo de este libro, es necesario subrayar que tanto la cara de la Virgen como su túnica y manto, han sido declarados como "inexplicables para la ciencia". Se cree que algunas áreas que muestran señales de desgaste, fueron repintadas para intensificar el impacto visual de la imagen. Estas áreas comprenden, el resplandor que rodea a la Virgen, las borlas, los adornos, los puños y dobladillos blancos, la luna con el querubín debajo, la orilla dorada del manto, las estrellas esparcidas a través del manto y el prendedor negro en el cuello de la Virgen. Asimismo, una o dos alteraciones menores, como la ya mencionada reducción de las manos..

Objetivamente, el efecto que tuvo la sagrada imagen sobre los Aztecas paganos, fue el de reforzar las doctrinas de los misioneros Cristianos. La señora parada frente al sol: los Aztecas, que conocían como leer pictografía, se dieron cuenta que Ella era más grande que Huitzilopochtli, su temido dios de la guerra. Su pié descansando sobre una media luna, que significaba su mayor deidad, Quetzalcoatl, la serpiente emplumada, a la que ella derrotaba tan claramente. El tono azul verde de su manto, era el color usado por la realeza azteca; por lo tanto, ella era una Reina. Las estrellas esparcidas a través de su manto indicaban a los aztecas que Ella era más grande que las estrellas del cielo, las que ellos adoraban como dioses. Sin embargo, ella no podía ser Dios, pues sus manos se unían en oración y su cabeza estaba inclinada en reverencia, claramente, había alguien más grande que Ella. Finalmente, la cruz negra sobre el broche de oro en su cuello, era idéntica a la que adornaba las banderas y cascos de los soldados españoles, como comunicándoles a los aztecas que Su religión era la de sus conquistadores.

Regresando a algunos de los milagros más importantes en aquellos días: en el año de 1736, atacó al país una terrible plaga, matando alrededor de 700,000 personas. Parecía no existir esperanza de librarse de este nuevo castigo, sin embargo, el 27 de abril de 1737 cuando Nuestra Señora de Guadalupe fue proclamada Patrona de México, la plaga comenzó a menguar como si la proclamación hubiera causado que se extendiera una mano curativa sobre el afectado país. Como veremos posteriormente, este milagro, tuvo un efecto decisivo sobre el desarrollo del culto.

Otro prodigioso acontecido en el mismo año, se refiere a una monja que moría en el Convento de Santa Catarina en Puebla. Cuando ella escuchó el sonido de las campanas de la iglesia de la ciudad, anunciando que el Papa Benedicto XIV había proclamado una fiesta especial en honor de Nuestra Señora de Guadalupe, la monja se las sacó de bajo su almohada una pequeña estampa de Nuestra Señora y murmuró: "Amada Señora, la vida no significa nada para mí, pero como testimonio de tus apariciones en Tepeyac, te imploro que me ayudes". Antes de que las campanas cesaran su alegre clamor, la monja se levantó de su cama completamente curada.

Roma había mostrado interés en el crecimiento del culto desde la época de las apariciones. Desde el año de 1560, el Papa Pío IV instaló una réplica de la imagen sagrada en su apartamento privado y distribuyó medallas de Nuestra Señora de Guadalupe. Como ya se mencionó, antes de la famosa batalla de Lepanto en 1571, se llevó a bordo del buque como insignia Cristiana, una copia pintada del retrato celestial y se creyó que, junto con el rezo comunitario del rosario, había jugado un papel importante en el triunfo de esa crucial batalla y así salvando la civilización occidental de los turcos. Por esa misma época, el Papa Gregorio XIII amplió las gracias otorgados por el Obispo de México, a aquellos que visitaran el santuario, y el siglo siguiente, el Papa Alejandro VII, concedió total indulgencia para aquellos que visitaran el santuario el 12 de diciembre.

El efecto de este último favor, causó que los Mexicanos presionaran a Roma para que se otorgara un mayor reconocimiento a Nuestra Señora de Guadalupe. Los procedimientos apostólicos los inició el Cardenal Rospigliosi, quien a la muerte de Alejandro VII, se convirtió en el Papa Clemente IX en 1667. Las audiencias que se llevaron a cabo entre 1663 y 1666 fueron dirigidas a la recopilación de una suficiente cantidad de evidencia que indujera al Santo Padre a otorgar reconocimiento canónigo a las apariciones y un estatus mayor a la basílica de Tepeyac. Una comisión oficial, a las órdenes del Virrey, el Marqués de Mancera, se encargó de reunir todos los datos y conocimientos disponibles sobre las apariciones y la sagrada imagen junto con los testimonios, tomados bajo juramento, de muchos testigos.

Los testimonios ampliaron y profundizaron el conocimiento existente de Guadalupe. Por ejemplo, la Comisión de Pintores testificó que "era humanamente imposible para un artesano, pintar o reproducir algo tan excelente como el retrato divino, sobre un pedazo de tela tan burdo como el tilma o ayate" (Los artistas se refieren a la superficie áspera del ayate: el lado del tilma en el cual se encuentra la imagen inexplicablemente, se suavizó en el momento de su creación, permitiendo así que se agregaran sobre él retoques adicionales posteriormente). La Comisión agregó: "La impresión del Retrato de Nuestra Señora de Guadalupe sobre el ayate o tilma de Juan Diego, fue, y así debe declararse y comprenderse, un trabajo sobrenatural, un secreto reservado a la Divina Majestad. Concluyeron, que lo que habían atestiguado era, según su conocimiento, "de conformidad con el arte de la pintura: y para demostrar su integridad lo juraban como era debido por Ley"

Se designaron tres profesores de la Universidad Real para formar un comité que examinara el tilma. Su reporte posterior, bajo juramento y firmado ante el Notario Público, contenía el siguiente testimonio: "El hecho de que la Sagrada Imagen conserve su frescura en forma y color después de pasar tantos años en presencia de elementos destructivos, no puede atribuirse a una causa natural. Su principio exclusivo es de El, quien es el único capaz de producir efectos milagrosos sobre las fuerzas de la naturaleza". Los profesores confesaron su sorpresa al comprobar la extraña suavidad de un lado del tilma.

Un testimonio de especial valor fue el de Doña Juana de la Concepción que contaba con 85 años de edad. Era la hija de Don Lorenzo de San Francisco Haxtlatzontli, historiador y primer gobernador de Cuautitlán, el pueblo de Juan Diego. Después de dar su propio testimonio de los eventos durante los últimos años del siglo dieciséis, reveló que su padre había recopilado meticulosamente los registros relativos al distrito y que éstos incluían anotaciones sobre las apariciones de Tepeyac en 1531, ya que Juan Diego era oriundo de este poblado y bien conocido por él. Don Lorenzo también había conocido bien a su tío Juan Bernardino. Doña Juana agregó, que cuando su padre tenía quince años, escuchó la historia de las apariciones del mismo Juan Diego y que más tarde, fue designado para escribir exactamente lo que había oído. Desafortunadamente para la posteridad, el registro de Don Lorenzo no sobrevivió.

En el año de 1666, fueron enviados a Roma todos los testimonios, junto con una copia del Nican Mopohua, que había sido elegida como la más satisfactoria de entre dieciocho registros de las apariciones.

Poco tiempo después, el Papa Inocencio X - el aristocrático Romano que dedicó su vida a socorrer a los pobres - exhibió una copia de la Sagrada Imagen en la Cámara Apostólica.

la Basilica de Guadalupe

Mientras tanto, el pueblo mexicano sentía una vez más, que el santuario existente todavía no era suficiente para albergar todo el amor que sentían por la Santísima Virgen, por lo tanto, decidieron edificar en su lugar, una imponente Basílica, el más bello monumento que pudieran trazar sus talentos artísticos, habilidades y generosidad, un tributo a su gran amor por Nuestra Señora de Guadalupe, quien los había escogido para estar entre ellos. En 1694, un grupo de ciudadanos reconocidos de la Ciudad de México, pidió al Arzobispo que solicitara donativos para la edificación del templo que planeaban. Como garantía de su compromiso personal para lograr esta meta asombrosa, inmediatamente abrieron un fondo de $80,000 con su propio dinero.

Después de un meticuloso análisis, el Arzobispo, dió su aprobación y todo México se reunió para participar en esta ambiciosa aventura. Se decidió que el mejor lugar para edificar la Basílica era el que ocupaba en ese momento la iglesia construída en 1622. Por consecuencia, el Arzobispo decidió edificar una pequeña iglesia cercana para albergar a la imagen sagrada mientras se terminaba la Basílica. Este templo fue tan bien construído que aún se conserva como la iglesia parroquial del pueblo de Guadalupe. En una suntuosa ceremonia, la imagen milagrosa fue transladada de iglesia, y comenzó el trabajo de demolición. Se colocó la primera piedra de la nueva Basílica en el año de 1695 y el trabajo perduró por catorce años a un costo de $800,000 sin tomar en cuenta el material donado y el trabajo voluntario y gratuito de muchos Mexicanos agradecidos.

El 30 de abril de 1709, se llevó a cabo la grandiosa ceremonia para instalar la imagen sagrada en su nueva casa. Este magnífico día, el Arzobispo fue asistido por el Virrey, los miembros superiores del clero, consejeros, jueces y otros dignatarios públicos, seguidos por una inmensa multitud que se extendía tres millas en dirección de la Ciudad de México. Las campanas de todas las iglesias a la redonda, sonaban jubilosas y el aire parecía temblar de alegre emoción. La sagrada imagen fue colocada sobre el altar mayor en tres marcos, el primero de oro puro, el segundo de plata y el tercero de bronce, mientras que la montura estaba incrustada en plata sólida. La decoración interior de la Basílica resplandecía con candelabros, mármol brillante, barandales de plata, innumerables pinturas, mosaicos, esculturas y otros adornos. Era el templo más impresionante del Hemisferio Occidental. Cuando terminó la ceremonia de consagración, comenzó una novena de covertura nacional en la que las organizaciones religiosas y seculares compitieron entre ellos en festividades espectaculares. Cuarenta años después, la Basílica se convirtió en Iglesia Colegial y se estableció en sus inmediaciones una Orden de Canónigos. El coro fue renovado y embellecido aún más, y se instaló un magnífico órgano.

la Sagrada Imagen enmarcada en oro plata y bronze

Todo este tiempo, los testimonios de 1666 avanzaban firmemente en Roma, aunque muy lentamente. Esporádicamente, aparecían vagas oposiciones. A pesar de la actitud favorable de Alejandro VII y de su sucesor Clemente IX, la petición mexicana que solicitaba a Roma de conceder su sello final de aprobación a Guadalupe elevándola a una mayor dignidad al otorgarle una liturgia especial, se enfrentó a objeciones de parte de ciertos miembros de la corte, que se oponían a lo que llamaban "la canonización de imágenes milagrosas" .En Roma, otros hombres de la iglesia de alto rango, sentían que los honores que solicitaban para Guadalupe debían ser concedidos primero a la Santa Casa de Loreto, ya que Loreto no había recibido esta dignidad singular después de siglos de peticiones, por consecuencia, Guadalupe tendría que esperar su turno. Este debate continuó por muchos años. Después de la muerte de Clemente IX en el año 1670, desaparecieron un buen número de defensores de Guadalupe y la oposición aumentó.

En 1736, México fue devastado por una plaga de tifo que reclamó más de 700,000 vidas en ocho meses. En un desesperado intento por detener la peste, las autoridades civiles recurrieron al clero para que proclamara Patrona Nacional de México a Nuestra Señora de

Guadalupe. Este acontecimiento se realizó el 26 de mayo de 1737 por el Virrey-Arzobispo Vizarrón, después de lo cual la plaga comenzó a desaparecer.

Este milagro, animó a los Mexicanos quienes solicitaron a Vizarrón que reforzara su petición en Roma para conceder a Guadalupe una mayor dignidad, sometiendo la firme evidencia del origen milagroso del retrato. Vizarrón estuvo de acuerdo y nombró una comisión especial formada por los pintores más importantes del país bajo las órdenes del brillante Miguel Cabrera, el más reconocido pintor en México de esa época.

Estos expertos, llevaron a cabo un examen cuidadoso de la sagrada imagen. Lo que reportaron al Arzobispo, fue lo siguiente: "El diseño del Santo Retrato es muy singular, realizado a la perfección y tan sorprendentemente maravilloso, que, podemos asegurar que cualquiera que tenga algún conocimiento de lo que debe ser nuestro arte, al contemplarlo, afirmaría que se trata de un retrato milagroso. Su magnífica gracia y simetría, la perfecta relación que sostienen el todo con las partes y las partes con el todo, es una maravilla que sorprende a quien lo contemple."

Posteriormente, Cabrera escribió un libro al respecto en el que manifestaba que la sagrada imagen parecía abarcar los cuatro tipos de pintura - fresco, óleo, acuarela y temple, mezclados en una combinación físicamente inalcanzable. Asimismo, declara que no existía encolage en el tilma, haciendo que fuera humanamente imposible pintar en su superficie áspera. Cabrera supuso que el hecho de que se hubiera suavizado el tilma del lado en que estaba la imagen sagrada, era una prueba más de su naturaleza milagrosa.

El Arzobispo leyó esta evidencia positiva así como el reporte favorable de la sagrada imagen preparado por expertos físicos, y decidió enviar estos testimonios a Roma con un representante especial, para apelar al Papa en persona, que se trataba del gran BenedictinoXIV, uno de los hombres más cultos que se haya sentado en la silla de San Pedro. Después de una cuidadosa consideración, el Arzobispo eligió al Padre Francisco López, S.J., brillante intelectual y teólogo eminente, quien estaba completamente familiarizado con los procedimientos de 1666. López astutamente, llevó con él una espléndida copia de la imagen sagrada realizada por Cabrera. Dejemos que el historiador Dávila nos relate lo que sucedió en esta memorable audiencia:

"El Padre López se aproximó a Benedictino XIV, llevando en sus manos un lienzo enrollado, y al obtener permiso para hablar, relató breve, pero elocuentemente la historia del milagro de las Apariciones Guadalupanas. Mietras el Papa escuchaba atentamente y con asombro, el narrador se detuvo de repente y gritó "Santo Padre, ¡contemple a la Madre de Dios, quien nos concedió ser también Madre de los Mexicanos¡" Y tomando el lienzo con sus dos manos, al igual que una vez lo hizo Juan Diego ante el Obispo Zumárraga, lo desenrrolló sobre la plataforma ocupada por Su Santidad. El Papa, quien ya estaba conmovido por la narración, al escuchar esta reacción inesperada y a la vista de la belleza de la imagen, cayó de rodillas ante Ella y exclamó, lo que desde entonces se convirtió en un lema distinctivo para nuestra Patrona venerable: "Non fecit taliter omni nationi" (El no lo ha hecho de esta manera para cada nación). Estas palabras que pertenecen al salmo 147, y que el Santo Padre utilizó para nuestro pueblo, fueron introducidas posteriormente al Oficio y grabadas en las primeras medallas"

Los testigos que presenciaron la escena, afirmaron que el Santo Padre lloraba mientras veneraba de rodillas el retrato celestial. Según se dice, le dijo al Padre López que, si le fuera posible hacer un viaje a México, realizaría un peregrinaje al Tepeyac, descalzo y de rodillas. El Papa ignoró todas las oposiciones e inmediatamente, redactó una Misa y Oficio para la fiesta de Nuestra Señora de Guadalupe, enviándola a la Congregación de Ritos, quienes subsecuentemente, votaron a favor. Su Santidad concedió formalmente privilegios y honores al santuario Guadalupano, así como un estatus que permanece inigualable entre los santuarios de manifestaciones sobrenaturales, superando incluso, a Fátima y Lourdes. Decretó el día 12 de Diciembre como Día Santo Obligatorio en México, celebrándose como festividad doble de primera clase, con Octava . Ratificó la Misa y el Oficio especial haciéndolo obligatorio para todos los sacerdotes y coros religiosos. Asimismo decretó, declaró y ordenó a la Autoridad Apostólica que Nuestra Señora de Guadalupe fuera reconocida, llamada y venerada como Patrona Principal y Protectora de México. Como tributo elevó la Basílica de Guadalupe a Basílica Laterana igualándola a la Iglesia Laterana de San Juan en Roma, la que ostenta el segundo lugar en importancia de todo el Cristianismo.

Es evidente, por la misteriosa resolución favorable de los insuperables problemas que surgieron al considerar la Congregación de Ritos la nueva liturgia, que Nuestra Señora fue quien instrumentó esta serie de acontecimientos positivos. De acuerdo a la ley canóniga, la solicitud de Misa y Oficio debió haberse presentado a ellos con anterioridad, y por solicitud formal. El Padre López, sabía que ésto se había realizado en 1667, pero los documentos se habían perdido. Mientras meditaba cual debería ser su siguiente paso, recordó que un prelado de nombre Nicoselli había escrito un libro en 1681, describiendo el registro de la solicitud a la Congregación de Ritos. Después de una intensa búsqueda, quedó desconcertado al descubrir que no quedaban copias disponibles de dicho libro en ningún lado. Se volvió hacia Nuestra Señora de Guadalupe, suplicándole que interviniera para superar esta dificultad. Días después, fue abordado por un vendedor de libros de segunda mano, que insistía en venderle uno de sus volúmenes. Para sorpresa del sacerdote, el libro que quería venderle era una copia usada del libro "Relaciones" de Nicoselli - el mismo que tan desesperadamente había buscado. Cuando la Congregación de Ritos se enfrentó a esta incuestionable evidencia, aprobaron de inmediato la nueva liturgía y el 25 de mayo de 1754, Benedictino XIV, agregó al Calendario Eclesíastico la nueva Misa y Oficio y emitió su Sumario histórico "Non Est Equidem" promulgando todo lo que había decretado:

"Para mayor gloria del Dios Todopoderoso y fomento de su adoración, y en honor de la Virgen María, Nosotros, por este medio, aprobamos y confirmamos con autoridad apostólica la elección de la Más Santa Virgen María bajo la invocación de Guadalupe, cuya sagrada imagen se venera en la iglesia parroquial y colegiado que se encuentra en las afueras de la ciudad de México, como Patrona y Protectora de México, con todos y cada uno de los privilegios otorgados a los patronos y protectores principales de acuerdo al epígrafe del Breviario Romano; esta elección fue realizada por deseo de Nuestros Venerables Hermanos, de Los Obispos de ese Reino, así como del Clero secular y regular, y por la súplica de la gente de esas Tierras.

Asimismo, aprobamos y confirmamos la introducción del Oficio y la Misa con Octava; y declaramos, decretamos y ordenamos que la Madre de Dios llamada Nuestra Señora de Guadalupe, sea reconocida, y venerada como Patrona de México. Del mismo modo, para que en lo sucesivo, la conmemoración solemne de esta Patrona y Protectora se celebre con gran devoción y reverencia, con el culto debido a la oración por los creyentes de ambos sexos que están ligados a la Hora Canónica por la misma autoridad apostólica, concedemos y ordenamos que la fiesta anual del 12 de diciembre en honor de la Más Santa Virgen María de Guadalupe, sea celebrada perpétuamente como día santo obligatorio y como día doble de primera clase con Octava; que se realicen los Oficios y se celebre la Misa". Continuó una lista de indulgencias y privilegios y el Sumario terminó de la manera acostumbrada: "Otorgado en Roma, en St. María Mayor, bajo el Anillo del Pescador, 25 mayo 1754, en el decimocuarto año de Nuestro Pontificado."

Puede imaginarse el júbilo que causaron estas maravillosas noticias en México. El Padre López fue recibido como un héroe. Poetas y predicadores elogiaron este singular reconocimiento y honor otorgado a la sagrada imagen."Feliz América","América Privilegiada","América amada por María, ¡Oh Americanos! ¿de dónde se les concedió que la Madre del Señor viniera a ustedes?.

A partir de ese día, la imagen de Nuestra Señora de Guadalupe se definió aún más claramente como la personificación de México, debemos recordar que ésto incluía todos los territorios españoles en Cuba, así como Texas, California, Arizona, Utah, Nevada, Nuevo México y Florida.Y al extenderse la civilización a las vastas regiones del norte y del sur, desde la sabana hasta las pampas, así se esparcía la devoción hacia Nuestra Señora de Guadalupe en toda la gente de estas regiones y posteriormente a través de el mundo entero, ya que Ella había venido como la Madre Misericordiosa, no solo "de aquellos que habitan estas tierras (el Hemisfeerio Occidental), sino de todos aquellos que me aman, de todos aquellos que me lloran, de todos aquellos que me buscan, de todos aquellos que confían en mí"

Durante la Guerra de Independencia en México, al inicio del siglo diecinueve, se utilizó como el estandarte del país una copia de la sagrada imagen, guiándoles a traves de muchas pruebas y reveses a ultimar su victoria. El breve, pero trágico conflicto entre México y Estados Unidos en el año de 1847, terminó finalmente, con un tratado de paz que se firmó en el Santuario Guadalupano en 1848.

Uno de los más gráficos relatos sobre el santuario en esa época, fue escrito por la Marquesa Calderón de la Barca de origen inglés y esposa del embajador español de la nueva República Mexicana. En una carta fechada en el año 1839 y que envió a sus familiares en el extranjero (esta carta fue publicada eventualmente, por el gran historiador americano Prescott, amigo de su familia), la Maquesa escribió:"Esta mañana, nos dirigimos hacia la Catedral de Nuestra Señora de Guadalupe.Pasamos a través de suburbios miserables,

arruinados , sucios y con una combinación de olores que desafío compiten con los de Colonia. Saliendo del pueblo, la carretera no es particularmente bonita, pero es una avenida amplia y recta, bordeada de árboles en ambos lados.
En otro tiempo, sobre el Cerro del Tepeyac, en Guadalupe, se levantaba el Templo de Tonatzin, la diosa de la tierra y del maíz, una deidad benigna, que rechazaba los sacrificios de víctimas humanas y solo aceptaba los de tortugas, golondrinas, pichones, etc. Era la diosa protectora de los Totonacas. La bella iglesia que se encuentra ahora al pié de la montaña, es una de las más grandiosas en México. Nos cubrimos la cabeza con velos ya que no se permite llevar gorras o sombreros dentro del recinto, y entramos a este santuario tan famoso, quedando admirados con la abundancia de plata que lo adorna

El divino retrato, representa a la Virgen de Guadalupe, con un manto azulado cubierto de estrellas, su vestido es color carmesí y oro, sus manos están unidas y sus pies reposan sobre una media luna sostenida por un querubín.

Posteriormente, visitamos una pequeña capilla, cubierta por un domo y construida sobre un manantial en ebullición , cuyas aguas poseen cualidades milagrosas. Compramos cruces y medallas que han tocado la Santa imagen así como piezas de listón blanco marcadas con la medida de las manos y piés de la Virgen. Subimos a la cima del cerro por un camino empinado (aunque el día era caluroso), encontrando ahí otra capilla desde la cual apreciamos una maravillosa vista de México; al lado de esta capilla, existe un tipo de monumento con la forma de las velas de un barco, edificado por un español agradecido para conmemorar su salvación de un naufragio, lo que creyó fue debido a la intervención de Nuestra Señora de Guadalupe."

Conforme pasaba el tiempo, los mexicanos siempre deseosos de acumular mayores honores para su amada Patrona, solicitaron al Papa Leo XIII que incorporara dentro de Su oficio, la historia de las apariciones y del mensaje de consuelo de Nuestra Señora a todos sus hijos, sin importar raza, así como recibir la distinción de coronar la imagen sagrada. Este acto de homenaje, establecería el sello final de perfección para que Nuestra Señora de Guadalupe fuera reconocida como Padrona Soberana de su propio país y Reina del Mundo.
Proclamando a Nuesra Señora como Reina, se reconoce su superioridad en el papel de Madre del Salvador, y como consecuencia su soberanía por derecho. Ya que si su hijo es un Rey, su Madre es

una Reina. Asimismo, dicha proclamación también es un reconocimiento a la inocencia, virtud y dignidad de Nuestra Señora como la Segunda Eva. El primer Adán y la primera Eva fueron los "Señores de la Creación" en la esfera material: el Segundo Adán (Cristo) y la Segunda Eva (María), manifestaron su dignidad y soberanía en la esfera espiritual ("Mi reino no es de este mundo" Juan 18: 36). El Papa Pío XII dijo: "La Santísima Virgen debe ser proclamada Reina, no solo por ser la Madre de Dios, sino por que fue Deseo de Dios que Ella jugara una parte única en el trabajo de nuestra eterna salvación,"

Pasaron nueve años para que se otorgara esta petición, ya que se presentaron ciertas dificultades debido a una falsa publicación que tuvo una considerable notoriedad en Madrid. Los mexicanos mantuvieron una ansiosa vigilancia durante este tenso período de espera. Finalmente, el Santo Padre, otorgó su consentimiento y ordenó que la imagen sagrada fuera coronada adecuadamente para marcar su aniversario sacerdotal. Para regocijo de la nación, los obispos mexicanos resolvieron realizar este acto de homenaje sublime, el 12 de Octubre de 1887. Es interesante hacer notar, que solo unas semanas después, una joven se arrodilló ante el Papa Leo XIII solicitándole otro favor especial para marcar su aniversario, deseaba su permiso para ingresar al Convento de las Carmelitas a la edad de quince años. Ambos eventos - la solicitud del episcopado mexicano y la petición de la que sería en un futuro Santa Thérèse de Lisieux, influyeron profundamente en la Iglesia en el futuro. La carta que el Santo Padre envió a los obispos mexicanos en esta ocasión, decía como sigue: "Con gran satisfacción, hemos determinado acceder a su petición de enriquecer con honores especiales el Oficio ya otorgado por nuestro ilustre predecesor Benedictino XIV, en honor de la Santísima Virgen de Guadalupe, la Patrona principal de su nación. Ya que, estamos conscientes de los lazos que siempre han unido el inicio y progreso de la Fé Católica entre los Mexicanos, con la veneración de esta Madre Divina, cuya imagen, como relatan sus historias, hizo famosa desde su origen la divina providencia. Asimismo sabemos, que en el santuario de Tepeyac, en el que se han mostrado tan solícitos para su reparación, expansión y decoración, las demostraciones de piedad se incrementan día a día, ya que se congregan en ese sitio multitudes de peregrinos devotos que llegan de todas partes de la República. Por lo tanto, como ustedes mismos reconocen, la más amada Madre de Dios, venerada bajo el título de Guadalupe, es la autora y protectora de esta maravillosa armonía de almas. Con todo el afecto de nuestros corazones, instamos a todos los Mexicanos para que siempre conserven este amor y veneración por la Divina Madre, como su mayor señal de gloria y fuente de todas sus bendiciones.

"En cuanto a la Fé Católica, que es nuestro tesoro más precioso y, en estos días, el que perdemos más fácilmente, deben estar totalmente convencidos que perdurará entre ustedes, con toda su fuerza y pureza, mientras se mantenga esta gran devoción, digna de sus ancestros. Por lo tanto, dejemos que crezca día con día, amando cálidamente, cada momento más, a tan suprema Patrona; y encontrarán que sus bendiciones fluirán abundantemente para la salvación y paz de todas las clases sociales."

Comenzaron al instante las preparaciones para el gran día de la coronación. Se ofrecieron oraciones a nivel nacional durante el verano de 1887, la Basílica fue renovada y preparada con exactitud y cuidado, mientras que las mujeres ricas, rivalizaban entre ellas por el privilegio de donar sus joyas, que sería utilizadas para la costosa corona. "La Coronación es el plesbíscito solemne de la religión y dominio social de Nuestra Señora en México", proclamó el Obispo de Colima, poco tiempo antes del acontecimiento.

Seguramente, el sábado 12 de octubre de 1887, será recordado como uno de los más grandiosos días en la historia de México. Cuarenta obispos de cada país del hemisferio occidental, cientos de sacerdotes y un incalculable número de fieles, se congregaron en el santuario, en un espectáculo que eclipsó aún el aniversario de diamantes de la Reina Victoria realizado una década después. Parecía que toda la gente de la ciudad de México se había reunido en Guadalupe, y para aquellos que no pudieron realizar el viaje debido a la distancia, se llevaron a cabo servicios especiales en todos los poblados y villas que coincidieran con la hora de la coronación.

"Todos los que presentes," escribió un reportero en "El Tiempo", uno de los periódicos seculares más reconocidos, "estaban invadidos por una explosión de felicidad, de entusiasmo, de júbilo. Hombres y mujeres lloraban de alegría. Todos se sentía poseídos de fé Cristiana, mientras que sus almas se llenaban de una dulzura indescriptible".

El Arzobispo de México, celebró la Misa Episcopal y en su sermón el Obispo de Yucatán declaró: "Al escoger a lo mexicanos como Su gente, Nuestra Señora se constituyó como Emperatríz y Patrona de América, Oh! feliz América!, afortunados Indígenas occidentales! Bendito México! Tú, la Reina del Cielo lo escogiste y santificaste. No solo les ha otorgado lo que no ha otorgado a ninguna otra nación, visitándolos con tanto amor, con tal predilección, con ternura maternal, sino que les ha concedido el regalo de su imagen, de esta imagen milagrosa de Guadalupe, les ha dejado el testimonio de que su vocación es su trabajo. ¡Oh, todas las naciones de América! depositen sus coronas a los pies de nuestra Reina y Patrona, como en el Cielo lo hicieron los cuatro y veinte Ancianos al pié del trono del Divino Cordero, su hijo!".

Después de la Misa, se cantó en veneración el Regina Coeli, y el sonido extasiante dependió de la multitud humana que se apretujaba en la Basílica. Cuando el Arzobispo levantó la resplandeciente corona sobre la sagrada imagen , pronunció estas nobles palabras: "Como eres coronada por nuestras manos en la tierra, seamos merecedores de ser coronados por Cristo con honor y gloria en el Cielo".

La orden del día fue regocijo universal. Se llevaron a cabo banquetes especiales de coronación para los pobres en los colegios católicos de la capital, mientras que a través de todos los pueblos y villas del país entero, el final de la Misa solemne especial, coincidió con el servicio en la Basílica, hubo una explosión espontánea de alegría - orquestas, bandas, fuegos artificiales, decoraciones llamativas - todo preparado para expresar la intensa alegría de la gente.

El periódico secular "Gil Blas", resumió el sentimiento de la gente con estas palabras: "Se crea o no, todos encuentran en la Virgen de Guadalupe algo que amar y que amar intensamente. En esta tierra, ningún hombre blasfema en su contra. Ella es lo ideal, la luz que brilla sobre nuestra lucha e incredulidad. Fue por esta razón, que Altamirano escribió estas palabras memorables: "El día en que la Virgen de Guadalupe ya no sea venerada, tendrás la señal de que hasta el nombre de México ha desaparecido de entre las naciones".

VI

LA ERA MODERNA

Durante el siglo veinte, el culto a Nuesra Señora de Guadalupe, se ha extendido aún más y se han producido nuevos e interesantes progresos. En el año de 1900, el Consejo Plenario Latinoamericano, obtuvo permiso del Santo Padre para que la Festividad Guadalupana se ampliara a toda Latino América, y diez años más tarde, el Papa St. Pío X declaró a Nuestra Señora como la "Patrona Celestial" de todos estos países. Sin embargo, su dominio no solo se limitó al Hemisferio Occidental. Se extienden por todo el mundo santuarios dedicados a Nuestra Señora de Guadalupe, especialmente en Italia y España.

El santuario italiano posee una historia particularmente interesante. Cuando los jesuitas fueron expulsados de México por el Rey Carlos III de España en el año 1767, difundieron la devoción a Nuestra Señora de Guadalupe por todos los lugares donde se establecieron. Se erigió un hermoso santuario en su honor en la iglesia de San Stefano, Aveto, en las faldas de los Apeninos y todos los habitantes de la región acudían a venerarla. Se reportaron milagros y la provincia entera se colocó bajo su protección. Posteriormente, como hemos visto, en 1811, el Cardenal Doria donó al santuario la famosa copia de la sagrada imagen realizada en 1570. El Papa Pío VI concedió al santuario la facultad de Misa y Oficio propia de Nuestra Señora de Guadalupe y agregó una cantidad de indulgencias a las devociones practicadas ahí. Debido al siempre creciente número de peregrinos, el Papa Leo XIII designó el Altar de San Stefano un altar privilegiado, ej.: por indulto papal, si es celebrada una misa de difuntos en este altar, se otorgaba indulgencia total al fallecido. En 1947, se colocó una gran estatua de la imagen sagrada en la cima del Monte Maggiorasco (2,100 mts. de altura), la montaña más alta de la provincia, así como en la cordillera de los Apeninos, este sitio se ha convertido en otro centros favoritos de peregrinaje.

Existen dos iglesias romanas dedicadas a Nuesra Señora de Guadalupe. La primera piedra de una de ellas, la que se encuentra en la Vía Aurelia, proviene de Tepeyac y la colocó el Cardenal mexicano José Garibi el 12 de diciembre de 1958. Esta iglesia fue confiada a los Legionarios de Cristo, una congregación religiosa mexicana, fundada diecisiete años antes por el Padre Marcial. Fue esta la iglesia a la que acudió el Papa Juan XXIII ya moribundo, durante su última visita fuera del Vaticano. Con anterioridad, se había erigido en los Jardines del Vaticano una estatua de Nuestra Señora de Guadalupe, junto con una estatua que representaba la creación milagrosa de la sagrada imagen en el tilma de Juan Diego - regalada por los mexicanos develada el 21 de septiembre de 1939. Al otro lado del país, la Capilla Mexicana en el santuario sagrado de Loreto, está repleta de murales que describen las apariciones.

Monumento "La Ofrenda" en el costado de Tepeyac

En España, una réplica coronada de la sagrada imagen brilla en la hermosa iglesia de Nuestra Señora de Guadalupe, Madrid. Cada primavera, las primeras rosas que florecen en el famoso parque de la ciudad "El Retiro", se envían al santuario mexicano en nombre de los españoles. También Francia rinde homenaje a Nuestra Señora de Guadalupe. Son conocidos por todos el altar al aire libre que existe en su honor en Lourdes y el majestuoso mosaico de la sagrada imagen en la capilla de Notre Dame, París, sin embargo aún de mayor interés encontramos el santuario de Nuestra Señora de Guadalupe en Abbeville. Un copia pintada del retrato celestial llegó a Francia al inicio del siglo dieciocho la que el Padre de Gouye, S.J., regaló a su hermana, Madre Superiora del Convento de la Visitación en Abbeville. La pintura fue venerada por la comunidad hasta que el convento desapareció durante la revolución en 1792. Por fortuna, el sacerdote de la parroquia cercana del Santo Sepulcro la recuperó después del tumulto, en una tienda de segunda mano. Este retrato permanece en la iglesia hasta este día, venerada por todos y rodeada de cuatro medallones que describen las cuatro fases de las apariciones. En todos los rincones del mundo se han edificado santuarios, altares o estatuas en honor de Nuestra Señora de Guadalupe, las podemos encontrar en Londres, Estocolmo, Addis Ababa y Nagasaki. En Nagasaki, existe una réplica de la sagrada imagen que marca el sitio donde murieron los mártires en 1597 (algunos de ellos eran mexicanos). En Polonia, veneran una réplica espléndida de Nuestra Señora de Guadalupe en Jasna Gora, el corazón de la fé Católica de este país. El 3 de mayo de 1959, el Arzobispo de México, Dr. Don Miguel Dario Miranda, asistido por Jerzi Skoryna, Presidente de los Primeros Combatientes Polacos en el Exilio, levantó la bandera nacional en la Basílica en Tepeyac y consagró Polonia a Nuestra Señora de Guadalupe. En esta memorable ocasión, Jerzi Skoryna declaró:

"Confiando en la Reina del Cielo, de México y de Polonia, hemos venido al pié de su altar, al trono de la Virgen del Tepeyac, para ofrecerle nuestra amada tierra, implorándole desde lo más profundo de nuestros corazones para que brinde paz, libertad, independencia y justicia a la Iglesia del Silencio, para nuestro país y para todas las naciones que sufren bajo el yugo cruel de la atea y pérfida doctrina Comunista. Ya existe el culto a la Virgen de Guadalupe en nuestro país, así como la Virgen de Czestocgowa, Reina de Polonia, cuenta con muchos devotos en México. Pensamos que no puede haber mayor amistad y amor entre nuestros países, que el amor y la amistad que hemos contraído a través de la Virgen María, Reina de México y Polonia".

De los cuarenta y cuatro papas que han existido desde que ocurrieron las apariciones, veinticinco de ellos han emitido decretos referentes a la sagrada imagen. El 10 de diciembre de 1933, en la Basílica de San Pedro en Roma, entre escenas de gran esplendor, el Papa Pío XI, reiteró el nombramiento de la Virgen como Patrona de Amércia Latina, después de lo cual, el Santo Padre coronó una réplica de la sagrada imagen y celebró una Misa Pontífice solemne. Su sucesor, el Papa Pío XII, transmitió un mensaje por radio a los mexicanos el 12 de octubre de 1945 para conmemorar el aniversario de oro de la primera coronación del retrato celestial por Leo XIII. El Santo Padre, que ya había fundado nueve santuarios en Italia, dedicados a Nuestra Señora de Guadalupe, ordenó que fuera coronada nuevamente la sagrada imagen en México y proclamada formalmente como "Emperatríz de todas las Américas".

Su Excelencia declaró: "Salve, Oh Virgen de Guadalupe! Nosotros a quienes la divina gracia de la Providencia ha confiado (sin tomar en cuenta nuestra propia indignidad), el sagrado tesoro de Sabiduría Divina en la tierra para la salvación de almas, colocamos nuevamente sobre tu frente, la corona que siempre lleva bajo tu protección la pureza e integridad de la fé mexicana y de todo el continente americano. Ya que estamos seguros que mientras tu seas reconocida como Reina y Madre, México y América estarán fuera de peligro."

El Papa Juan XXIII proclamó el Año Mariano de Nuestra Señora de Guadalupe del 12 de diciembre de 1960 al 12 de diciembre de 1961, alabándola como "La Madre de las Américas". La oración que compuso ejemplifica su devoción y homenaje filial:

"Salve, Madre de las Américas, Misionera Celestial del Nuevo Mundo. Desde el Santuario de Tepeyac has sido por cuatro siglos Madre y Maestra de la Fé para la gente de América. Sé también nuestra protectora y sálvanos. Oh! María Inmaculada. Ayuda a nuestros gobernantes, fomenta en nuestros prelados un nuevo fervor; aumenta las virtudes de nuestro clero, y preserva para siempre nuestra Fé. Que florezca en cada casa la santidad de la familia y que bajo su cobijo exista educación Católica, favorecida por tu bondadosa mirada, para que logren un crecimiento saludable."

Su sucesor, el Papa Pablo VI, confirió un singular honor al santuario, presentándolo con una rosa de oro el 25 de marzo de 1966, un privilegio que subsecuentemente se otorgó solo a Lourdes y Fátima.

Hoy, Guadalupe es el mayor santuario Mariano en el mundo entero, visitado anualmente por más de veinte millones de peregrinos. A través del año, día tras día multitudes interminables de todo el mundo se dirigen al santuario. Silenciosos y sosegados, muchos de ellos recorren los últimos metros de rodillas. Constituyen una fascinante sección representativa de la humanidad - caballeros bien vestidos,

albañiles, jóvenes oficinistas, obreros, campesinos, madres con sus hijos pequeños, grupos familiares, hombres y mujeres de pelo canoso, adolescentes de pelo largo en pantalones vaqueros - la variedad no tiene fin. Mucha gente pobre llega cubierta de polvo, sucia y cansada después de varios días a pié, pero sus ojos brillan con el fervor de su fé y amor mientras se unen en un poderoso coro de alabanza "Perfecta y Siempre Virgen María, Madre del Dios verdadero". Algunos llevan coloridos estandartes de satín y otros, arreglos florales espléndidos o simples coronas de flores para poner a los piés de la sagrada imagen.
Hace alrededor de medio siglo, en la cúspide de la persecución bajo el régimen de Plutarco Eías Calles, el Padre Miguel Pro., famoso mártir de México, escribió sobre los peregrinos: "Casi toda la gente en la ciudad, ha desfilado frente la sagrada imagen de Nuestra Señora de Guadalupe, no puedo alejarme de tal espectáculo. Miles de personas avanzaban sobre la Avenida Peralvillo, de rodillas o descalzos orando y cantando - tanto ricos como pobres- la clase trabajadora y la clase alta. Nuestro propio coro se unió a la multitud, todos aclamando a la Virgen María, a Cristo Rey, al Papa, a los Obispos".
Cada mes de Mayo, llegan al santuario cientos de miles de niñas pequeñas, todas vestidas de blanco, cada una llevando un ramo de flores que depositan en el enorme santuario, en Junio las imitan un número igual de niños pequeños. Durante el mes de Diciembre se llevan a cabo incontables peregrinajes de diversos grupos, como los fabricantes de globos o los taxistas - estos últimos, paralizan el tráfico de la ciudad de México por horas. Cada taxi, con su pequeño altar Guadalupano, es rociado de agua bendita por docenas de sacerdotes. ,

Todos los meses del año, diferentes grupos realizan sin descanso coloridas danzas religiosas ante la Basílica como un saludo para su Madre Virgen. Conforme van terminando sus danzas, se mezclan con los innumerables peregrinos que fluyen dentro de la Basílica como agua de mar.
Orando de rodillas ante la imagen sagrada, la silenciosa concurrencia de peregrinos se entrega a la sensación magnética de la Presencia, a esa ternura maternal que parece repetir personalmente a cada uno aquellas palabras que pronunció hace siglos a Juan Diego:

"Yo soy tu Madre Misericordiosa,la Madre de todos aquellos que viven unidos en esta tierra, y de toda la humanidad, de todos aquellos que me aman, de todos aquellos que me lloran, de todos aquellos que me buscan, de todos aquellos que confían en mi. Aquí, escucharé su llanto y sus penas y remediaré y aliviaré su sufrimiento, necesidades y desdichas."

"Cuando el turista entra a la siempre abarrotada Basílica de Guadalupe," escribió Henry F. Unger a principios de los 1970's "queda sorprendido con la belleza del retrato Guadalupano que se encuentra arriba del altar principal. Puedo recordar la intensa devoción de los Mexicanos que se arrodillaban alrededor del altar, cercados por montones de bellas flores. También me percaté que un gran número de mexicanos entraba a la Capilla contigua del Santo Sacramento. El visitante queda impresionado por el magnífico altar principal de esta capilla y por los altares laterales. Apenas podía moverme en esta Capilla, donde se distribuía la Comunión cada quince minutos. Desde todos lados, los Mexicanos se movían de rodillas sobre el áspero suelo hacia el Santo Sacramento. Aquí, con los brazos extendidos, vertían sus corazones hacia el Rey Eucarístico. Grupos de niños pequeños revolotean alrededor de sus devotas madres cuyos ojos estaban fijos en la Hostia. Otros mexicanos llevan ramilletes de flores, colocándolas alrededor del altar. Algunos dejaban mementos (recordatorios) de alguna cura concedida a través de las oraciones a Nuestro Señor en el Santo Sacramento"

En todos los santuarios Marianos del mundo, se sigue el mismo patrón. María conduce a los peregrinos hacia su Divino Hijo representado en la Eucaristía. Con los brazos abiertos, Ella dá la bienvenida a sus hijos, deseando abrazar a cada uno de ellos y guiarlos a los piés de Jesús, quien alguna vez, también yació en sus brazos. Por lo tanto, también podemos llamarla Nuestra Señora del Más Santo Sacramento. "El título Mariano más teológico después de Madre de Dios" declaró el Papa Pío X.

No hemos olvidado a Juan Diego. Nos damos cuenta que Nuestra Señora escogió aparecerse a Juan, quien era inferior y pertenecía a la última y más baja clase, para que nadie se sintiera excluído de su amor maternal. Un comité eclesiástico, está reuniendo todos los datos y documentos para introducir la causa de la beatificación de Juan Diego, que se enviarán a Roma a su debido tiempo. Este proceso ha sido inevitablemente lento, ya que lo poco que se conoce de su vida, posiblemente resulte insuficiente para satisfacer los requerimientos de Roma cuando consideran la vida detallada y virtudes de un candidato a la santidad(Nos da gran satisfaccion que Juan Pablo II beatificara a Juan Diego el 8 de Septiembre de 1992).

En una carta pastoral fechada en abril de 1939, el Obispo Manrique Zárate de la ciudad de México, declara: "Juan Diego había tenido la sublime experiencia de contemplar a la Madre de Dios, por quien fue tan amado que solo él se convirtió en el portador de su mensaje de amor a la joven Iglesia Mexicana. Esta consideración, debe ser suficiente para que condenemos el lamentable lapso que hemos perdido todos los mexicanos, especialmente aquellos que a través de su posición , estatus o responsabilidad social, debieron ser los primeros en ayudar al avance de la glorificación de Juan Diego.

Uno de los mayores apóstoles vivos de Nuestra Señora de Guadalupe, el Dr Charles Wahlig, O.D., de Nueva York, ha jugado un papel importante en el avance de la causa de Juan Diego. En 1968, viajó a Roma para solicitar al Papa Pablo VI que diera un discurso sobre la importancia de Juan Diego. Sin embargo, diferentes circunstancias previnieron al Santo Padre para que llevara a cabo su declaración, aunque estaba muy entusiasmado al respecto y otorgó una medalla al Dr. Wahlig por haber realizado "un trabajo muy apostólico" promoviendo la causa. Tres años después el Dr. Wahlig, escribió el primer libro sobre Juan Diego (ver bibliografía), y en 1974, fue el responsable de la formación del comité que dió los primeros pasos para la presentación de la causa de beatificación. Poco después, introdujo el vicepostulado para la causa de Juan con 157 invaluables páginas de documentos reunidos cuidadosamente del Departamento de Manuscritos Antiguos de la Biblioteca Pública de Nueva York. Nunca ha sido más claro el papel de Juan Diego como modelo de hermano apostólico."¿Porqué," pregunta el Dr. Wahlig, "es rechazado por la iglesia un favorito tan especial de la Virgen, que jugó un importante papel en la historia del Cristianismo, mientras que son honrados otros que lograron menos? ¿Porqué debe perpetuarse la apariencia de Juan Diego como una parte integral de la sagrada imagen, solo porque se descrubrió más de 400 años más tarde? (Aquí, el Dr. Wahlig se refiere al sorprendente descubrimiento de las imagenes en los ojos de la Virgen, que se analiza profundamente en el siguiente capítulo). La respuesta a este misterio llegará a ser más clara con el paso del tiempo.

Sin embargo, la manera en que se formuló el Decreto II del Vaticano sobre el Apostolado de los Legos dá la impresión de que el Consejo de los Padres tenía en mente a Juan Diego. A través de este campesino humilde, pobre entre los pobres, Dios demostró que todos, sin importar su condición en la vida, pueden responder al llamado de acción divina y si es necesario, bajo la gracia y cuidado del Espíritu Santo, lograr resultados realmente monumentales, como los de Frank Duff, fundador de la Legión de María. Nuestra Señora dijo a Juan: "Es completamente necesario que seas tu el que lleve a cabo esta misión y que sea por medio de tí y de tu ayuda que mi deseo se cumpla". Aceptando esta misión, Juan se convirtió en el modelo de todos los hermanos apóstoles.

Hoy por hoy, en medio de tantas dificultades, podemos aprender por imitación, sobre todo de la ilimitada pasciencia y preserverancia de Juan, confiados en que si nos esforzamos al máximo para realizar cualquier empresa que Dios nos solicite, conservando como prioridad la oración y el sacrificio, no podremos fallar. "Por lo tanto queridos hijos," dijo el Papa Pablo VI "está en su mano brindar generosamente la ayuda que se les solicita para la renovación interior de la Iglesia, para la reconciliación de todos los Cristianos, así como dar al mundo de hoy un testimonio de caridad, 'para que el mundo pueda creer'. Imitando estas palabras, el propio Dr. Wahlig un infatigable apóstol,dijo lo siguiente: "Si el retrato milagroso de la Santa Virgen María es la señal de la última batalla de la Mujer con la serpiente, también es el inicio de la participación laica en el apostolado de la Iglesia como lo conocemos en esta época, especialmente, en el apostolado que ha surgido por la unión con María de Guadalupe, es un claro ejemplo de que Nuestra Señora no trabaja sola, sino que utiliza instrumentos humanos, dedicados totalmente a ella por amor, para cumplir con sus deseos"

Volviendo a nuestro registro del santuario y a su desarrollo, durante el inicio de 1970's los mexicanos quedaron consternados al conocer que su amada Basílica estaba en peligro de hundirse. Era obvio desde hacía algún tiempo que la enorme estructura se hundía e inclinaba lentamente. Cuando se drenaron los lagos aledaños muchos años antes, la primera capa quedó inundada, y como consecuencia muchos edificios comenzaron gradualmente a hundirse dentro del húmedo lodo del lecho de los antiguos lagos. Los ingenieros civiles hicieron maravillas para elevar el nivel de los edificios tratando de salvarlos, pero a pesar de todos sus esfuerzos fueron incapaces de detener el ineroxable hundimiento de la Basílica.

Finalmente, Luis Echeverría, Presidente de México, decidió construír un nuevo e inmenso templo de forma circular que albergara a la sagrada imagen.
El 12 de octubre de 1976, la nueva e imponente construcción estaba lista para permitir el traslado de la imagen sagrada desde el antiguo santuario barroco. Con un costo de $70 millones en el año de 1975 y con una capacidad para 10,000 personas sentadas, la gran estructura circular fue diseñada, según el Padre Manuel Ponce, Secretario de la Comisión Nacional Mexicana para las Artes sagradas, para "difundir un nuevo criterio en la construcción de iglesias". El revolucionario diseño de este nuevo edificio se enfrentó a muchas críticas.

La Basílica de Guadalupe

Curiosamente, tan pronto como se abrió el nuevo templo, la antigua Basílica dejó de hundirse. Por la misma época, el gobierno emitió una ley, requisitando todas las iglesias mexicanas que dataran del período Colonial para transformarlas en museos de arte religioso, de las cuales, la antigua basílica se convertiría en el primero. Sin embargo, fueron tantas las protestas, que este plan tuvo que postergarse y hasta este momento (1981) el edificio permanece cerrado para prevenir un clamor popular que exija el regreso de la sagrada imagen a su antigua y amada casa. Este escritor no es quien para comentar el desafortunado estado de la presente situación, pero podemos confiar que cuando Dios lo decida, Nuesra Señora resolverá pacíficamente esta controversia para satisfacción de todos.

El día más grande en la historia de Guadalupe, fue sin duda el 27 de Enero de1979, cuando el Papa Juan Pablo II visitó el santuario antes de acudir a la Conferencia de Obispos Latinoamericanos en Puebla. Ofreciendo su homenaje ante la imagen cubierta de flores,Su Santidad declaró "Desde el momento en que el indígena Juan Diego habló con la dulce Señora del Tepeyac, tú, Madre de Guadalupe, entraste definitivamente dentro de la vida Cristiana de los Mexicanos."

Las palabras del Santo Padre, expresaron una verdad que es claramente visible a través del país. Ya que es raro encontrar una casa que no tenga la imagen sublime de Nuestra Señora de Guadalupe, honrándola diariamente como el centro de devoción familiar a la Madre de Dios. Su presencia transforma cada casa en un altar desde donde Nuestra Señora mira a cada uno de los miembros de la familia con la misma bellleza sobrenatural y amorosa ternura con la que una vez contempló la cara embelezada de Juan Diego. Ella pronunció para todos estas gentiles y precisas palabras: ¿No estoy yo aquí que soy tu Madre?"

Para conmemorar la ocasión memorable de su visita, el Papa Juan Pablo II compuso la siguiente oración para Nuestra Señora de Guadalupe:

"Oh Virgen Madre Inmaculada del Dios verdadero y Madre dela Iglesia! Tu, quien desde este lugar revelas tu clemencia y piedad a todos aquellos que piden tu protección; escucha la oración que te dirigimos con confianza filial y preséntala a tu Hijo Jesús, nuestro único Redentor. Madre de misericordia, Maestra del sacrificio y silencio oculto, a tí, que viniste a conocer a los pecadores, te dedicamos en este día todo nuestro ser y todo nuestro amor. También te dedicamos nuestra vida, nuestro trabajo, nuestras alegrías, flaquezas y penas. Concede a nuestros pueblos paz, justicia y prosperidad, porque confiamos a tu cuidado, Nuestra Madre y Señora, todo lo que tenemos y todo lo que somos. Deseamos ser completamente tuyos y caminar contigo el camino de fidelidad completa hacia Jesucristo en Su iglesia: guíanos siempre con tu afectuosa mano.

"Virgen de Guadalupe, Madre de las Américas, te pedimos por todos los Obispos, que ellos puedan conducir la fé a lo largo de sendas de intensa vida Cristiana, de amor y humilde servicio a Dios y a las almas. Contempla este fruto inmenso, e intercede con el Señor para que El pueda inculcar un hambre de santidad en toda la Gente de Dios y crear abundantes vocaciones de sacerdotes y religiosos, fuertes en su fé y administradores celosos de los misterios de Dios. Concede a nuestras casas la gracia del amor y vida respetable desde su inicio, con el mismo amor con el que concebiste en tu seno la vida del Hijo de Dios.
"Santísima Virgen María, Madre del Amor Justo, protege a nuestras familias para que siempre permanezcan unidas y bendice la educación de nuestros hijos. Nuestra esperanza es que nos tengas compasión y enséñanos a acudir a Jesús continuamente y, si caemos, ayúdanos a levantarnos para regresar a El, por medio de la confesión de nuestras faltas y pecados en el Sacramento de la Penitencia, que brinda paz a el alma. Te imploramos nos enseñes a sentir un gran amor por los santos Sacramentos, que son, como fueron, las señales que tu Hijo dejó en la tierra. Por ello, Santísima Madre, con la paz de Dios en nuestras consciencias, con nuestros corazones libres de todo mal y odio, seremos capaces de sentir la alegría y la paz verdadera que viene a nosotros desde tu Hijo, Nuestro Señor Jesucristo, quien con Dios Padre y el Espíritu Santo vive y reina por los siglos de los siglos. Amén."

A fines de 1979, ocurrió un acontecimiento de particular importancia para los peregrinos Guadalupanos de habla inglesa. Algunos años antes, Helen Behrens había establecido un centro cercano al santuario para todos los visitantes de habla inglesa, pero se cerró después de su muerte. Sin embargo, el 16 de julio de 1979, la Asociación de la Reina de las Américas, se reunió en el santuario de Santa Elizabeth Seton, Emmitsburg, Maryland, y resolvieron tratar de establecer otro centro de Guadalupe,para que los peregrinos pudieran apreciar más profundamente el milagro y mensaje de Guadalupe y la garantía protectora de Nuestra Señora " para todos aquellos que habitan estas tierra y para toda la humanidad , para quienes me aman".Este proyecto fue apoyado por ochenta Obispos estadounidenses y un gran numero de católicos en ese país. A principios del mes diciembre de 1979, El Reverendo Pincipal, Jerome Hastrich , Presidente de la Asociación y John Haffert, Secretario Interino (y Delegado laico

Interacional del Ejército Azúl de Nuestra Señora de Fátima, viajaron a México con la intención de buscar un sitio adecuado y formar una corporación para el desarrollo y administración del nuevo centro.

Un comité, previamente formado en la ciudad de México para asistir a la fundación de un nuevo Centro para los peregrinos de habla inglesa, ayudó al Obispo Hastrich y a John Haffert a encontrar un sitio adecuado - una propiedad grande en la calle de Allende 33. Al lado del Convento Benedictino de las Hermanas Misioneras de Nuestra Señora de Guadalupe, con hospedaje para más de 300 personas en tres auditorios diferentes, un capilla y comedor. Las hermanas expresaron su deseo de cooperar en el proyecto y ofrecieron sus instalaciones para el uso de los peregrinos de habla inglesa.

En una reunión posterior en la ciudad, el comité mexicano, con el Obispo Hastrich y John Haffert, decidieron llamar a su nuevo centro "Casa Regina o Casa de la Reina de las Américas" y establecer una corporación para que la administrara. Estaba asegurada la aprobación del Abad de la Basílica (Mgr. William Schulenburg) y el Cardenal Corripio Ahumada de México expresó una calurosa aprobación al proyecto y accedió a convertirse en miembro del comité temporal para la formación de dicha corporación. Su Eminencia reveló después que el Papa Juan Pablo II recientemente los había visitado a él y al Cardenal Miranda en el Colegio Mexicano en Roma y que al pasar frente a una pintura de la sagrada imagen, dijo: "Me siento atraído hacia este retrato de Nuestra Señora de Guadalupe porque su cara está tan llena de una ternura y sencillez ...... que me llama"

El establecimiento de este nuevo centro, beneficiará a Británicos, Irlandeses, Austalianos y muchos otros peregrinos de habla inglesa que visitan el santuario en cantidades cada vez mayores mientras se extiende la fama de la imagen sagrada a través del mundo. Estamos seguros que Nuestra Señora dá la bienvenida a esta nueva iniciativa que le permite ayudar a estos visitantes lejanos a adquirir un conocimiento más profundo del significado de su retrato y su presencia, resumiendo las palabras del famoso poeta jesuita, Padre Abed: "Qua neque amabilus quidquam est en pulcrius orbe" (No existe nada más bello o adorable en este mundo que Ella)

VII

EL VEREDICTO DE LA CIENCIA

Antes de examinar la sorprendente evidencia que comprueba el origen sobrenatural de la sagrada imagen, es necesario conocer algunos aspectos sobre el material del tilma. El tilma era una prenda exterior común para los hombres, usada al frente como un delantal largo y frecuentemente se doblaba hacia arriba para ser utilizada como una bolsa o se enrollaba alrededor de los hombros como una capa. Se utilizaban varios estilos diferentes de la prenda, diseñadas para las distintas clases sociales Aztecas. La clase alta usaba un tilma o prenda de algodón que se amarraba sobre el hombro derecho, mientras que la clase media, a la que pertenecía Juan Diego vestía un tilma hecho de la fibra del ayate, una tela gruesa derivada de los hilos de la planta del maguey. Se amarraba sobre el hombro izquierdo y tenía un color amarillento. La clase baja, ataba la prenda detrás del cuello donde podía servir para trabajo de carga.

El tilma de Juan Diego consiste de dos trozos rectos de tela de ayate unidos al centro por un tejido muy tosco que cuando es visto de cerca parece ser casi transparente. Durante el siglo dieciséis, la prenda fue cortada al tamaño de la imagen, cuyas dimensiones son de 165 por 103 cms. La figura de Nuestra Señora, mide 56 pulgadas de altura, y como declaró Coley Taylor, parece crecer cuando te vas alejando, debido a alguna propiedad desconocida de su superficie, causando que refleje la luz que recibe sobre ella.La cabeza de la Virgen está inclinada graciosamente a la derecha, evitando la costura central que, de otra manera, desfiguraría su cara, como por una intuición preconcebida. Sus ojos tienen la mirada baja, pero las pupilas son claramente visibles y, como hemos observado parecen vibrar llenos de vida. La impresión general que nos brindan sus facciones es de una ternura incomparable y afecto sobrenatural, que simples palabras son incapaces de retratar.

Hasta la fecha, el retrato sublime ha desafiado las reproducciones exactas, por pincel o cámara. Las copias realizadas meticulosamente, no logran captar la delicadeza en la expresión de la Virgen ni la exquisita línea de sus ojos y labios. Así como, tampoco pueden reproducir el misterioso cambio de colores que se observa en la imagen, lo que discutiremos más adelante. El Profesor Tanco Becerra escribió en 1666 : "El gran maestro del arte de la pintura confiesa. que una expresión tan bella de modesto regocijo es humanamente inimitable". Un siglo después, el gran pintor mexicano Ibarra escribió: "Jamás ningún pintor ha sido capaz de copiar o dibujar a Nuestra Señora de Guadalupe. Su singular originalidad, prueba que el retrato, no es producto de un artista humano, sino del Todopoderoso."

Se realizaron notables esfuerzos durante décadas anteriores para producir una reproducción fotográfica exacta de la sagrada imagen con la ayuda de equipo muy sofisticado y técnicas de luz. Sin embargo, los mejores resultados obtenidos han sido distorsiones comparadas con la inigualable belleza del original. Lo más que podemos decir acerca de las millones de copias que existen, es que nos recuerdan al original. Por decisión gneral, la copia menos imperfecta es la que se encuentra en el Santuario Nacional de Nuestra Señora de las Américas en Allentown, Pennsylvania, E.U.

Ya hemos comentado que el tiempo de vida de la tela de ayate es de alrededor de veinte años. Sin embargo, después de cuatrocientos cincuenta años, el tilma no muestra la más ligera señal de deterioro. Sus colores permanecen tan vívidos y frescos como cuando se materializaron ante la sorprendida mirada del Obispo Zumárraga. A pesar del hecho de que la sagrada imagen estuvo sin siquiera la protección de un vidrio, en una capilla húmeda del tamaño de una sala y con ventanas abiertas, donde estaba expuesta directamente al continuo humo e incienso de innumerables veladores que ardían debajo de ella.

Las emanaciones de cera ardiendo son particularmente destructivas, ya que incluyen hidrocarbonos corrosivos, ionizaciones y tizne. La contaminación acumulada en un espacio tan reducido, debió ennegrecer el retrato hasta hacerlo irreconocible. Solo tenemos que recordar la roca oscurecida por el humo en la gruta de Lourdes, la cual está abierta al viento, para apreciar la destrucción de la contaminación a la que estuvo expuesta la sagrada imagen durante todos esos años. Sin embargo, conserva su belleza radiante y frescura encantadora para el regocijo de todos.

El Profesor Phillip Callahan, biofísico de la Universidad de Florida, que estudió el retrato celestial en 1979, declaró en su reporte que en una ocasión había medido de una sola veladora, más de seiscientos microwatts de luz ultravioleta. Si multiplicamos este factor por cientos de miles o más, obtendremos un ambiente intolerable para cualquier pintura. "El exceso de luz ultravioleta" escribió, "ensombrece rápidamente la mayoría de los pigmentos de color, ya sean orgánicos o inorgánicos, especialmente los azules." Pero la sagrada imagen parece ser indestructible como si fuera inmune a los más dañinos efectos del maltrato humano.

Durante los años que permaneció desprotegida en la húmeda capilla del piedra en Tepeyac, fue tocada, literalmente por millones de afectuosas manos y labios -el mismo contacto persistente que ha desgastado la roca de la gruta de Lourdes. Los hombres la tocaban con sus espadas, las mujeres con sus adornos Otros, movidos por su fervor, la abrazaban apretando el delicado material con sus manos y acariciándolo con gran devoción como si se tratara de algo vivo. Innumerables enfermos ponían el tilma sobre sus cuerpos dañados o incapacitados y muchos devotos, cautelosamente desprendían hilos de la prenda para conservarlos como reliquias invaluables. Aún después de que la imagen sagrada fue colocada detrás de una pantalla de vidrio protectora, tenían que quitarla a frecuentes intervalos para satisfacer el ruego incesante de miles de ardientes devotos que ansiaban tocarla o besar su hermosa cara, solo una vez más. En 1753, Miguel Cabrera declaró que vió que el tilma fue tocado por varios objetos quinientas veces en dos horas.

La extraordinaria fragilidad del tilma resulta inmediatamente aparente por el único y delgado hilo de algodón que une las dos piezas de ayate. "Este hilo tan frágil", dijo Cabrera, "resiste y, por más de dos siglos, ha resistido la fuerza de gravedad natural y el peso de los dos trozos de tela que une y que son de un material mucho mas pesado y grueso.

El ambiente que existía y aún existe en Tepeyac, está lejos de ser ideal para la conservación de cualquier trabajo artístico.El área está expuesta a vientos que con frecuencia, están cargados de humedad y polvo. Los pantanos no drenados que rodeaban la Ciudad de México por siglos, transpiraban un vapor corrosivo que carcomía desde textiles hasta monumentos de piedra y cemento. " El solo hecho de que el frágil tilma haya resistido esta influencia universalmente penetrante y deterioradora, " dijo Fr. Lee " es causa de gran admiración y el punto máximo de esta maravilla, es que conserva sus delicados colores con toda su frescura.

Estos atributos permanentes de la sagrada imagen han sido la causa de que más de un racionalista se incline ante la evidencia sobrenatural. Por ejemplo, en 1976, el agnóstico arquitecto Ramírez Vázquez, quien diseñó los planos de la nueva Basílica, solicitó permiso para estudiar la sagrada imagen. La examinó tan cuidadosamente que se convirtió en Católico.

Otro factor que prueba el origen sobrenatural de la imagen sagrada es su inexplicabe preservación durante todos los desastres que han ocurrido a través de los siglos. Por ejemplo, en 1791, un trabajador que limpiaba el marco de oro y plata que guarda el retrato, derramó accidentalmente sobre la imagen un frasco de ácido nítrico. El ácido, en lugar de destruír la delicada tela, para alivio del descuidado trabajador, solo dejó sobre el material una marca de agua casi imperceptible.

una cruz de hierro protege a la Sagrada Imagen de un atentado con una bomba

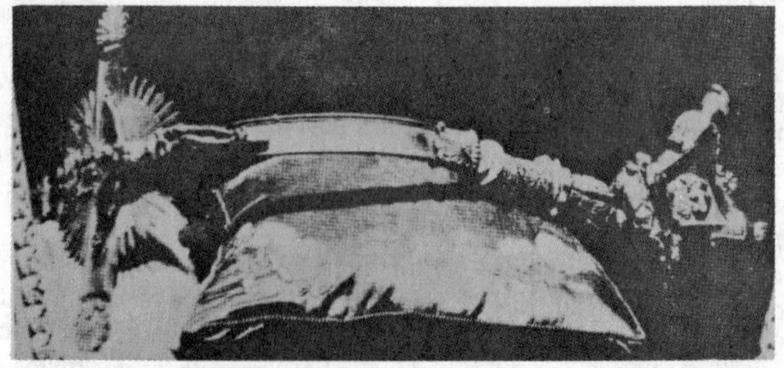

Durante la terrible persecución que sufrió la iglesia en México bajo el régimen del Plutarco Elías Calles en los años 1920's, cuando cerraban las iglesias y eran martirizados sacerdotes y monjas, incluyendo al piadoso Padre Miguel Pro, quien frente al pelotón de fusilamiento, grito: "¡ Viva Cristo Rey!". Sin embargo, no se atrevieron a cerrar el amado santuario de Nuestra Señora de Guadalupe, por miedo a provocar una violenta insurrección. En su lugar, trataron de arrancar la fé del corazón de los mexicanos por medio de un diabólico estratagema.. El 14 de noviembre de 1921 escondieron dentro de un gran florero una poderosa bomba de tiempo, situándolo debajo de la sagrada imagen. Durante la Misa, a las 10:30

a.m., la bomba explotó con un estruendo ensordecedor, arrancando filosos trozos de mármol y manpostería del santuario y convirtiendo en añicos los magníficos vitrales de la Basílica. Una pesada cruz de hierro que se encontraba en el altar destruído quedó completamente torcida como si fuera de barro moldeado. Sin embargo, cuando se disiparon el polvo y las nubes de humo, se escucharon murmullos de sorpresa y alivio entre los asombrados celebrantes y la congregación, quienes pasmosamente no habían sido lastimados seriamente. La venerada imagen estaba completamente intacta, y el delgado vidrio protector que la cubría ni siquiera se había cuarteado, como si un brazo invisible la hubiera protegido de este monstruoso estallido.

Cuando terminó la persecución, el retrato celestial fue enmarcado detrás de un vidrio a prueba de balas y se abrió una Capilla de Reparación especial para el Santo Sacramento con el fin de reparar este y otros ultrajes cometidos durante el gobierno de Calles. La torcida cruz de hierro fue colocada dentro de un gabinete de vidrio para recordar a los peregrinos la asombrosa protección otorgada a la sagrada imagen durante la terrible explosión-

"Nuestra Señora es venerada en la Basílica de Guadalupe," dijo Henry F. Unger, "pero definitivamente, no olvidamos a su Hijo. El constante flujo de Mexicanos que acuden a la Capilla de Reparación, atestigua este hecho. Desde que se cometió esa maldad en la enorme Basílica de México, cuando Nuestra Señora resistió los efectos principales de esa diabólica bomba de tiempo, se ha abierto una gloriosa capilla de reparación diaria, cerca del sitio donde Juan Diego contempló por primera vez a Nuestra Señora, para brindar el consuelo del Señor Eucarístico."

A través de los siglos,la sagrada imagen ha sido expuesta a un sin fin de exámenes y estudios detallados por expertos en arte y científicos,para determinar si puede existir alguna posible explicación natural para su existencia.Sin embargo,hasta la fecha,todas las investigaciones, microscópicas, por radiación infra-roja o por aumento fotográfico computarizado, han probado su origen sobrenatural.Como veremos más adelante,la fotografía con radiación infra-roja, es particularmente reveladora, ya que puede detectar pinceladas o correcciones en la pintura, y, de particular importancia, puede descubrir la existencia de trazos preliminares por debajo del trabajo final, un prerequisito esencial para casi todas las pinturas.

En 1936, Fritz Hahn, profesor alemán que vivía en México, fue invitado por su gobierno para asistir a los Juegos Olímpicos que se realizarían en Berlín ese año. Justo antes de salir para Europa, el Dr. Ernesto Pallanes le dió dos fibras de la sagrada imagen, una roja y otra amarilla. Pallanes había recibido estas fibras del Obispo de Saltillo, quien a su vez, las había recibido de Don Feliciano Echavarría, sacerdote de la Basílica, para el relicario del Obispo. Junto con lals dos fibras, el Profesor Hahn llevó una carta de recomendación del Profesor Marcelino Junco, profesor de química orgánica, retirado de la Universidad Nacional del México, para el ganador del Premio Nobel en Química, el aleman Richard Kuhn, director del departamento de química del Instituto Kaiser Wilhelm en Heidelberg. Kuhn examinó las fribras con su acostumbrado cuidado y después hizo un anuncio increíble. No existía coloración de ninguna clase en las fibras. Los materiales utilizados para producir lo que parecían colores eran desconocidos para la ciencia, ya que no eran tintes animales, ni vegetales, ni minerales. La utilización de coloración sintética fue descartada ya que se había desarrollado tres siglos después de la creación de la sagrada imagen.

La hipótesis de que la sagrada imagen era una pintura, fue descartada en 1946 cuando un exámen microscópico comprobó que no existían pinceladas. Tampoco había señales de la clásica firma del artista en la esquina inferior del retrato. Tanto en 1954 como en 1966, El Profesor Mexicano Francisco Campos Ribera realizó un exhaustivo estudio de la sagrada imagen, llegando a la misma conclusión. ¿Si el retrato no era una pintura, qué era entonces?. La composición de su material debía consistir de algo definido ya que podía observarse y tocarse. Pero si se tenía un orígen sobrenatual, ¿cómo podía igualarse al material terrenal, en términos científicos?.

el reflejo de Juan Diego en el ojo de La Sagrada Imagen

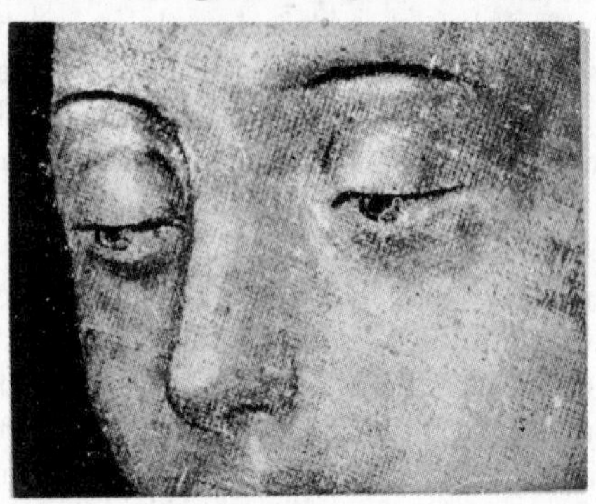

EL VEREDICTO DE LA CIENCIA

En 1929, Alfonso González, fotógrafo profesional, amplificó varias veces, una fotografía de la sagrada imagen y quedó sorprendido al descubrir lo que parecía una cara humana en los ojos de Nuestra Señora. Sus descubrimientos fueron guardados confidencialmente para ser investigados con detenimiento. Pero las implicaciones de este descubrimiento nunca impresionaron a las autoridades y el asunto fue postergado y olvidado.

El 29 de mayo de 1951, un dibujante de nombre J. Carlos Salinas Chávez, examinaba con una lupa poderosa una fotografía amplificada de la cara de la sagrada imagen. Cuando el lente se movió a través de la pupila del ojo derecho, se sorprendió al encontrar dentro de ella las facciones y el busto de un hombre barbado. Este fenómeno llegó al conocimiento del Arzobispo de la Ciudad de México, quien formó una comisión especial del investigación. Se confirmó el descubrimiento y el 11 de diciembre de 1955 se hizo público, junto con el la revelación de que la cara que se encontraba en la pupila de Nuestra Señora había sido identificada como la de Juan Diego, por una pintura contemporánea.

El siguiente mes de julio, dos oculistas, Drs. Javier Torroello Buene y Rafael Torifa Lavoignet, examinaron los ojos de la sagrada imagen, al principio, sin la ayuda de una lupa. El Dr. Lavoignet dijo después al Hermano Bruno Bonnet-Eymard: "Ciertos detalles me sorprendieron, en especial los reflejos de luz". Posteriormente, revisó cuidadosamente los ojos con una lupa poderosa. "Sabía que se había descubierto un busto humano en los ojos de la Virgen", confesó al Hermano Bruno. "Observé con gran atención y comprobé que sí se aprecia un busto humano en la córnea de ambos ojos. Primero observé el ojo derecho y después el izquierdo. En mi opinión, es necesario que se examine este hecho por medio de procedimientos científicos."

El 23 de julio de 1956, el Dr. Lavoignet realizó una meticuloso examen de los ojos con ayuda de un oftalmoscopio. Después comentó al Hermano Bruno: "En la córnea de los ojos, puede apreciarse un busto humano. La distorsión y sitio de la imagen óptica son idénticas a lo que se producen en el ojo humano., se puede ver un reflejo de luz que brilla en el círculo exterior. Siguiendo este reflejo y cambiando los lentes adecuados del oftalmoscopio, es posible obtener la imagen en el interior del ojo. Si se dirige la luz del oftalmoscopio hacia la pupila del ojo de la Imagen de la Virgen, aparece el mismo reflejo de luz. Como consecuencia de este reflejo, la pupila se ilumina de una manera difusa, dando la impresión de un relieve cóncavo. Este reflejo es imposible de obtener sobre una superficie plana y menos aún si es opaca como este retrato. Asimismo, examiné con ayuda del oftalmoscopio, los ojos de varias pinturas tanto acuarelas como óleo, así como fotografías. En ninguna de ellas, todas de gente diferente, pude encontrar el más mínimo reflejo, por esta razón, los ojos de la Virgen dan la impresión de tener vida.

Para continuar con este fascinante descubrimiento, citaremos las propias palabras del Hermano Bruno: "Parece como si un rayo de luz penetrara a una cavidad llenando un globo ocular volumétrico, que irradia desde adentro una luz difusa. Yo mismo realicé el experimento con un oftalmoscopio. El ojo color bronce-avellana de la Santísima Virgen se ilumina y sobre la superficie brilla claramente la silueta de un busto humano. La posición de la cabeza está en tres cuartos de perfil hacia la derecha de la Virgen y ligeramente inclinada; el pecho está enmarcado y alargado por un movimiento de los brazos hacia adelante, como si mostrara algo. Todo parece como si, en el momento que fue impresa la imagen, un hombre que estaba de frente a la Santísima Virgen y que se reflejaba en la córnea de su ojo, fue fotografiado de esta manera indirecta.

"Pero aún hay más," continúa. "La imagen de este busto, muestra una distorsión que concuerda exactamente con las leyes de tal reflejo 'in vivo'. El Dr. Javier Torroella Bueno también lo notó y le comentó al Hermano Bruno en 1979 lo siguiente: "Si tomamos un pedazo de papel de forma cuadrada, y lo colocamos frente a nuestros ojos, nos damos cuenta que la córnea no es plana (ni tampoco esférica) porque se produce una distorsión de la imagen lo cual es una función del sitio de la córnea, donde ésta se refleja".Además, si movemos el papel a cierta distancia, se refleja en la contra esquina lateral del otro ojo, esto significa que si una imagen se refleja en la región temporal del ojo derecho, se reflejará en la región nasal del ojo izquierdo así como también aparece en la esquina temporal del ojo izquierdo.La distorsión de la imagen reflejada es aún más sorprendente, ya que obedece perfectamente a las leyes de curvatura de la córnea."

Como era de esperarse, esta novedad tuvo un impacto asombroso en México. El misterio estaba a disposición de todos los que deseaban investigarlo. La distorsión y asimetría de las dos imágenes se ajustaban exactamente a las leyes ópticas. Como consecuencia, esto previno cualquier explicación del observador que fuera víctima de impresión subjetiva, ya fuera accidentalmente o a causa del material. Como si el tilma de Juan Diego hubiera sido una película a color expuesta, que hubiera fotografiado a la Virgen (aunque invisible al ojo humano) en el momento que él se reflejó en sus ojos - un hecho increíble que se ha mantenido oculto por más de cuatrocientos años y que por fin, ha sido revelado y confirmado por la ciencia médica.

Estos grandiosos descrubrimientos, fueron seguidos por un excitante hallazgo en 1962,. El Dr. C. Wahlig, O.C. y su esposa Isabelle, optometrista, examinaron una fotografía de la imagen sagrada amplificada veinticinco veces, donde encontraron no solo dos caras mas reflejadas en los ojos de la Virgen, sino al aplicar la ley de reflejo en espejos convexos, fueron capaces de reconstruír las circunstancias exactas en las que fue creado el retrato celestial.

"La córnea funciona con un espejo convexo, con un radio cercano a los 7.5 mm, variando levemente entre una persona y otra," explicó el Dr. Wahlig en un reporte fechado en septiembre de 1963. "Nuestro yerno, Edward Gebhardt, cuenta con gran experiencia en técnicas fotográficas y sugirió dos posibles métodos para realizar la reproducción. El primero era fotografíar el ojo a corta distancia para obtener claramente, los reflejos visibles de las personas situadas frente al ojo. El segundo método era fotografiar a una persona a varios piés de distancia, después, ampliar la fotografía hasta que el ojo cubriera por completo el papel; posteriormente, estudiar los reflejos de las personas que se encontraban frente al ojo que había sido fotografiado.

Decidimos que las primeras fotografías, fueran tomadas utilizando el primer método. "Con una cámara construída especialmente para tomar acercamientos, tomamos fotografías de nuestra familia en posiciones similarles a las que creíamos era la escena original retratada en el ojo de Nuestra Señora. Nuestra hija Mary posó como Nuestra Señora, y es su ojo el que está fotografiado en los retratos. Mi esposa, mi hija Carol y yo, nos colocamos frente a Mary, y nuestros reflejos aparecieron en la córnea de su ojo como puede comprobarse en las fotos adjuntas.

En el momento que Juan se presentó ante el Obispo con las flores, Nuestra Señora ya estaba presente en la habitación, pero decidió permaneció invisible. En lugar de brindarles una indicación perdurable y visible de su presencia, escogió imprimir un retrato auténtico de ella misma sobre el tilma de Juan Diego, mientras permanecía allí viendo la escena. El retrato está completo en cada detalle, aún los reflejos de Juan Diego en su ojo y los de otras dos personas de pié a su lado y de alguien que aparentemente está viendo sobre su hombro. Por la postura de Juan Diego y la de los otros dos, parece que no se han percatado de la presencia de Nuestra Señora. Las dos personas parece que observan a Juan Diego y, asumimos que Juan contempla al Obispo".

Es importante hacer notar, que los reflejos de la córnea no habían tenido verificación científica hasta que el Barón Von Helmholtz los validó en un tratado del ojo publicado en los 1880's. Debido a que lo anterior no fue posible captarlo hasta la invención de la cámara, nos encontrábamos ante un fenómeno científicamente inexplicable, es decir, ¿quién podía conocerlos o utilizarlos en 1531?

El reporte del Dr. Wahlig continúa: "Mucho se ha dicho acerca del porqué se realizaron únicamente amplificaciones del ojo derecho del retrato de Nuestra Señora. Así como la formación de la imagen de un individuo debe reflejarse de igual manera en ambos ojos, podría ser, y de hecho en la actualidad existen circunstancias físicas que pueden impedir que sean exactamente iguales. Habría diferencias aún mayores en los reflejos de los dos ojos de la sagrada imagen debido a la textura de la tela, tales como fallas en el tejido e imperfecciones de la tela. Por razones prácticas, se utilizaron los reflejos del ojo derecho ya que están mejor definidos que aquellos del ojo izquierdo."

El Dr. Wahlig aceptó la colaboración de un impresionante número de especialistas en este experimento técnicamente difícil. Entre ellos, se encontraban el Dr. Francis T Avignone, un experto optometrista y con anterioridad un estudioso de óptica y optometría práctica de la Universidad de Columbia;el Sr. Edward Gebhardt, ingniero en televisión de la Compañía de Transmisión Nacional, quién tomó las fotografías; el Dr. Michael Wahlig, Ph.D. (su hijo); el Dr. Alexander Wahlig, M.D. (su hermano y cirujano de los ojos); el Dr. H. G. Nloyes, ML.D., oftalmólogo y estudioso en ciencias ópticas de la Universidad de Columbia, Nueva York; el Dr. Glen Fry, Ph.D, a cargo del desarrollo óptico del Gobierno de los Estados Unidos durante la Segunda Guerra Mundial; el Dr.Italo Manneli, Profesor de física y director de dicho departamento en la Unviersidad de Pisa, Italia; y la esposa del Dr. Wahlig, una B.A., y como hemos mencionado, una experta optometrista.

Poco después de que se realizaron estos descubrimientos, la segunda figura reflejada en los ojos de Nuestra Señora, fue identificada tentativamente como la de Juan González, el intérprete, quien se encontraba al lado de Juan Diego cuando éste desenvolvió su tilma frente al Obispo. Esta identificación fue posible debido al descubrimiento en 1960 de una pintura por largo tiempo perdida, del milagro del hombre muerto que resucitó. Esta pintura, que fue ejecutada alrededor del año 1533 por tres artistas que estaban familiarizados con los personajes principales de la historia de Guadalupe y que, por lo tanto, eran capaces de delinear un parecido fiel de ellos, fue encontrada detrás del altar de la antigua iglesia de 1622, cuando estaba siendo restaurada en 1960.

Este descubrimiento fue importante por varias razones, ya que en México circulaba la teoría de que las tres imagenes que aparecían en los ojos de Nuestra Señora eran todas de Juan Diego, la tercera imagen estaba invertida de acuerdo a la ley de óptica psicológica de Purkenje-Sanson. El hecho de que la segunda imagen en el ojo derecho de Nuestra Señora guarda un fuerte parecido con Juan González es claro cuando se examina bajo una lupa poderosa. La tercera imagen, aunque muy borrosa, tiene una gran similitud con las facciones del Obispo Ramírez y Fuenleal, quien es sabido con seguridad que se encontraba en la habitación en ese momento.

"El que haya salido a la luz la existencia de esta pintura en ese momento en particular, tuvo un significado especial," comento el Dr. Wahlig. " Parecía como si fuera parte de un plan para presentar el retrato de Nuestra Señora a todo ser humano de nuestra era como un fenómeno sobrenatural con validez científica. Cuando continuaron los estudios sobre los reflejos en los ojos de Nuestra Señora en 1962, el descubrimiento, dos años antes, de la pintura de 1533 brindó un confiable medio de identificación."

El Dr. Wahlig confirmó que la tercera imagen "muestra una gran similitud" con el Obispo Ramírez y Fuenleal, quien acababa de ser nombrado administrador general de México. "Esta revelación complementa los otros descubrimientos relacionados de una naturaleza científica", concluyó el Dr. Wahlig, "lo que confirma de manera sorprendente, la palabra de las personas que vivieron hace cientos de años (por ejemplo, los historiadores), que la sagrada imagen es realmente un retrato del cielo."

En una carta dirigida al suscrito con fecha 6 de diciembre de 1979, el Dr. Wahlig, explicó: "Obtuvimos una gran satisfacción derivada de la pintura de Miguel Cabrera, el pintor colonial más grande de México (del cuadro cuando fue creada la imagen), donde aparecen las tres personas casi en la misma posición en que se encuentran reflejadas en los ojos de Nuestra Señora. Este cuadro fue pintado alrededor de 1750, el cual muestra que debe haber existido una muy fuerte tradición sobre las circunstancias existentes en el momento de la creación de la sagrada imagen."

La pintura a que nos referimos, se encuentra actualmente en la antigua Basílica de Guadalupe y muestra al Obispo Zumárraga frente a Juan Diego, a Juan Gonzalez y al Obispo Fuenleal. Por lo tanto, Nuestra Señora debe haber estado presente inmediatamente detrás del Obispo Zumárraga y frente a los tres hombres de pié ante él, cuyas imágenes se reflejarían en sus ojos -una sorprendente revelación que reservó la Providencia para ser descubierta por la ciencia en una época incrédula, cuatro siglos después. La demostración científica de las imágenes del ojo recibieron apoyo adicional en el año de 1963, cuando ciertos miembros de Kodak de México, S.A., anunciaron que la sagrada imagen era esencialmente fotográfica en original. Solo quedaba para los científicos, determinar si era posible demostrar físicamente el origen sobrenatural de la sagrada imagen.

Se llevó a cabo un avance en esta dirección en Mayo de 1979, cuando dos científicos norteamericanos de alto nivel, el Profesor Philip Callahan de la Universidad de Florida y el Profesor Jody Smith de Pansacola, Florida, motivados por recientes investigaciones sobre el Sudario de Turín, tomaron alrededor de sesenta fotografías de la sagrada imagen, muchas de ellas con radiación infra-roja, con el objeto de determinar si existía el dibujo preliminar de algún artista bajo la pintura. Otras fotografías fueron amplificadas por computadora y estudiadas para localizar pistas sobre el origen de la imagen. "Estoy interesado en realizar lo que William James dijo hace cien años - unir la religión con la ciencia," mencionó el Profesor Smith al inicio de su investigación. "En nuestra cultura, vivimos vidas que estan muy divididas por categorías"

El Profesor Callahan estaba inminentemente calificado para el trabajo. Un escritor prolífico de libros científicos, así como un pintor experimentado, fotógrafo y una autoridad en el campo de radiación infra-roja, especialmente en el estudio de sus efectos en moléculas. El Profesor Jody Smith, un Metodista, quien con anterioridad había recibido permiso para estudiar la sagrada imagen, decidió que el Profesor Callahan era el científico ideal para asistirlo en su investigación.

La fotografía infra-roja es el último y más comprensible método para estudiar las pinturas y documentos antiguos y determinar su derivación histórica, método de composición y validez. Debido a que los pigmentos varían de acuerdo a su manera de reflejar y transmitir la luz infra-roja, este sistema fotográfico es capaz de descubrir pintura sobrepuesta o alteraciones. Se ha convertido en un instrumento científico estándar en el área de investigación de arte. La penetrante longitud de ondas de la luz infra-roja puede atravesar una superficie barnizada o una capa de polvo, exponer la pintura original que se encuentra debajo y aún determinar la naturaleza del plaste bajo ésta. "Ningún estudio sobre un trabajo de arte puede considerase completo," mencionó el Profesor Callahan en su reporte siguiente, "hasta que se hayan utilizado las técnicas de fotografía infra-roja. Por lo tanto, ningún estudio científico válido estará completo sin dicho análisis.

Los estudios se realizaron sobre el tilma el 7 de mayo de 1979 desde las 9:00 p.m hasta medianoche, ante la presencia de un obispo, un policía y varios trabajadores. "Nunca seremos capaces de comprender el manto", admitio previamente el Profesor Jody Smith, "pero la manera de intentar, es realizando toda la investigación posible." Los resultados de sus meticulosas investigaciones se resumen a continuación:

La pintura que data de 1531, no puede explicarse científicamente. Es inexplicable la claridad de sus colores y preservación de su brillantez sobre el paso de los siglos. Definitivamente, no está presente en la sagrada imagen algún dibujo anterior, plaste o barniz sobre protector. Sin el plaste, el tilma debió pudrirse hace varios siglos y sin un barniz protector, la pintura se hubiera arruinado hace mucho tiempo debido a su prolongada exposicion al humo de velas y otros contaminantes como mencionamos anteriormente. Bajo una enorme amplificación, la imagen no muestra señales detectables de grietas o descoloramiento -un hecho inexplicable después de 450 años de existencia. También lupas poderosas han revelado el sorprendente hecho de que la tosca trama del tilma ha sido utilizado deliberadamente de manera precisa para brindarle profundidad a la cara de la imagen. "Parecerá extraño que un científico diga ésto," concluyó el Profesor Callahan, "pero, en lo que a mi respecta, la pintura original es milagrosa".

Callahan reconoce que la cara de la Virgen es una obra maestra de expresión artística. Su apariencia sutil y su simple diseño, matíz y color, la colocan en una clase única propia. Las fotografías de acercamiento infra-rojas, muestran que no existen marcas y la ausencia de plaste se hace patente en los numerosos espacios vacíos visibles en la tela. "Tal fenomeno es fantástico," concluyo el Dr. Callahan.

Los científicos concuerdan en que la sublime faz de la Virgen tiene una apariencia casi con vida, especialmente en el área alrededor de la boca, donde una tosca fibra que está resaltada sobre el tejido continúa perfectamente el camino hacia el inicio del labio, brindándole un aspecto tridimensional. Efectos similares aparecen bajo la mejilla izquierda y a la derecha y abajo del ojo derecho. El Profesor Callahan pensó que era imposible para cualquier pintor humano haber seleccionado un tilma con las imperfecciones precisas en su tejido colocadas de tal forma que acentuaran las sombras y toques de luz para transmitir tal realismo.

Los dos científicos estaban particularmente impresionados de que tela tan burda causara difracción de luz. Cuando se observa de cerca, la cara y las manos son de un color grisáceo que gradualmente se convierte en color olivo cuando la persona se va alejando -un logro imposible para cualquier pintor humano. "Encontramos el mismo efecto en la naturaleza" dijo el Profeslor Callahan "Cuando los colores cambian bajo angulos diferentes, como con las plumas de los pájaros, las franjas de las mariposas y sobre el élitro de los escarabajos de colores brillantes.

La túnica rosa y especialmente el manto azúl de la Virgen, merecen un estudio más cuidadoso, ya que todos los pigmentos conocidos que pudieron haberse utilizado para producirlos se hubieran borrado hace mucho tiempo y los calurosos veranos mexicanos hubieran acelerado dicho proceso. Sin embargo, los colores permanecen tan brillantes y frescos como si acabaran de pintarse. Se descubrió que el color rosa de la túnica era transparente a la luz infra-roja, y esto aclaró otro misterio. La mayoría de los pigmentos rosas son opacos a la luz infra-roja pero no existe ninguna huella en la imagen de los pocos pigmentos que no lo son.

A pesar de todo el valor de su estudio, el Profesor Callahan parece haber tenido un titubeo al afirmar que las áreas que fueron retocadas en el pasado, eran realmente, adiciones pintadas realizadas en la imagen un siglo después de su creación. Sin embargo, como lo comprueba la copia de la sagrada imagen de Lepanto, esta teoría es insostenible.Inspecciones visuales meticulosas realizadas en la imagen por un gran número de expertos en un pasado reciente,especialmente la que llevó a cabo el Dr. Charles J. Wahlig, O.D.,en la noche del 5 de septiembre de 1975, demuestran claramente que las áreas que el Dr. Callahan afirma son adiciones pintadas en el original, son únicamente cubiertas pintadas. Por lo tanto, un resplandor blanco original, puede ser visto bajo la hoja de oro luminosa de los rayos, y una luna original, de mucho menor tamaño, solo es visible bajo el creciente presente, que fue aplicado con pintura plateada, pero que se ha convertido en negra, y continuamos de esa manera.

La cara y las manos fueron pintadas más oscuras. Las manos fueron acortadas, al parecer para que Nuestra Señora pareciera más mexicana y el rastro de un color más claro en la piel puede observarse solo con un lente poderoso. Aún el ojo izquierdo fue retocado, con seguridad después de 1923, ya que un exámen cuidadoso realizado en fotografías tomadas en ese año, muestra tres reflejos en el ojo tan claros como los del ojo derecho. Aparentemente, el ensombrecimiento parcial de estas imágenes en el ojo izquierdo fue causado por el pintor cuando delineó el borde del párpado.

"Estudiar la imagen" declaró el Dr. Callahan, "ha sido la experiencia más motivadora de mi vida. El solo hecho de estar cerca de ella, me hizo sentir la misma extraña sensación que otros han experimentado al trabajar en el Sudario de Turín." y agregó, "Creo en las explicaciones lógicas hasta cierto punto. Pero no existe una explicación lógica para la vida. Puedes desintegrar la vida en átomos, pero que sigue después? Aún Einstein dijo que Dios."

Antes de finalizar esta historia de Guadalupe, no podemos dejar de preguntarnos: ¿cuál es el significado de la sagrada imagen para nuestro mundo actual, saturado de pecados y amenazado con una guerra nuclear? ¿Porqué se ha prolongado inexplicablemente por cuatrocientos cincuenta años el breve lapso de vida que tiene la tela de ayate del tilma? ¿Porqué el delicado material ha resistido las huellas de millones de manos y velas, cuando aún la resistente roca de la gruta de Lourdes ha tenido que rendirse? ¿Porqué la feroz mordida de ácido nítrico no pudo destruír a la más frágil de las telas?. Pero sobre todo, ¿porqué una mano Divina se interpuso en el año de 1921 entre el indefenso tilma y la explosión de una poderosa bomba que detonó justo debajo de él?

Si la respuesta es simplemente el deseo de Nuestra Señora de perpetuar su sagrada imagen entre la gente del Hemisferio Oeste, nuevamente debemos preguntarnos porqué. ¿Tiene Ella algún propósito predestinado para los americanos, tal vez el del asegurarles su máxima protección y seguridad, como lo creía el Papa Pío XII?

Sabemos que ahora el diablo esta comprometido en una última gran batalla con la Señora que está destinada a aplastar su cabeza. Su próximo triunfo fue anunciado el 13 de julio en Fátima: "Al final, triunfará mi Corazón Inmaculado". Pero antes de que sea consumado este triunfo, que deseamos devotamente, Ella nos advirtió que el enemigo intensificaría su ataque cuando se percatara de que se acortaba su tiempo. De todos lados recibimos evidencia de la feroz guerra que está siendo librada por los poderes del Infierno contra la Señora y sus hijos. Solo debemos recordar el salvaje ataque contra la Piedad de Miguel Angel por un hombre que gritaba "Yo soy el diablo", o el blasfemo ultraje contra la misma Virgen de Guadalupe en 1972, cuando un director de cine norteamericano engañó al Abad del santuario deliberadamente, e hizo que su grupo de actores y actrices ejecutaran rituales diabólicos y escenas pornográficas dentro del Santuario. Tales infames sacrilegios son prueba del terrible poder de Satán. "Todos estamos bajo un oscuro dominio" advirtió el Papa Pablo VI en noviembrede 1972, destinado a la expansión del error doctrinal, a la adoración del diablo y de lo oculto. "Es Satán, el Príncipe de este mundo, el enemigo Número Uno."

Existe un sorprendente paralelo entre nuestra época y la de la civilización azteca inmediatamente antes de las apariciones de 1531. Antes como ahora, la sociedad está dominada por el ateísmo, los excesos paganos y la inmoralidad. Innumerables víctimas inocentes son sacrificadas vivas en los altares del aborto. Deidades falsas abundan en todos lados. La poligamía y depravación azteca rivalizan con el colapso moral universal de ahora. Parece inevitable e inminente una confrontación decisiva, como ocurrió en 1531.

Sin embargo, no todo está perdido. La hora oscura desaparecerá inevitablemente con el radiante amanecer del triunfo de Nuestra Señora sobre la serpiente. Una pequeña minoría cumple con el mensaje crucial de 1917 de Fátima y, a través de la oración persistente y del sacrificio personal - como el de vigilias de reparación todas las noches - se esfuerza por remediar la temible desproporción creada por tanta maldad. Como en 1531, cuando solo un puñado de cléricos oraban por la salvación, podemos confiar en que, si los pocos piadosos de ahora perseveran y se multiplican sus filas, Nuestra Señora intervendrá nuevamente y aplastará los poderes de la oscuridad con la brillantez de su presencia.

Posiblemente, este es el significado fundamental de la sagrada imagen en la Ciudad de México. Hace cuatrocientos cincuenta años, la

Madre de Cristo, que también es nuestra Madre si manifestamos ser realmente hermanos de Su Hijo, dejó para nosotros una señal tangible de esperanza. Nos regaló esta señal para que nos reconfortara durante la rebelión racionalista de extensión mundial que surgió en contra de Dios en siglos pasados y que ahora está alcanzando su terrible climax. Desde el centro del continente americano, resplandece una luz de confianza, en un mundo de pesadilla, una estrella sobre la tormenta, una Estatua de Libertad sobrenatural sosteniendo la Luz del Mundo - la Verdad que dará al hombre realmente la libertad - y proclamando a todos aquellos que caminan en la oscuridad, un maravilloso mensaje de esperanza:

"Yo soy su Madre misericordiosa, la Madre de todos los que viven unidos en esta tierra y de toda la humanidad, de todos aquellos que me aman, de todos aquellos que lloran, de todos aquellos que confían en mí. Aquí escucharé su llanto y sus penas, y remediaré y aliviaré sus sufrimientos, necesidades e infortunios. No se angustien o aflijan. No teman a ninguna enfermedad o disgusto, ansiedad o dolor. ¿No estoy yo aquí que soy su Madre? ¿No están bajo mi sombra y protección? ¿No soy yo su fuente de vida? ¿No están bajo el abrigo de mi manto? ¿en el hueco de mis brazos? ¿Hay algo más que necesiten?.

RESUMEN CRONOLOGICO DE LOS EVENTOS

1531 9 de Diciembre: Primera y Segunda aparición de la Virgen Santísima a Juan Diego en Tepeyac.

1531 10 de Diciembre: Tercera aparición de la Santísima Virgen a Juan Diego en Tepeyac.

1531 12 de Diciembre: Cuarta aparición en Tepeyac; creación de la imagen milagrosa en presencia del Obispo Zumárraga y aparición de Nuestra Señora a Juan Bernardino en Tolpetlac, quien fue curado de una enfermedad mortal.

1531 Diciembre: La imagen es expuesta en la capilla privada del Obispo donde es venerada por miles de Aztecas.Terminación del primer pequeño santuario en Tepeyac.

1531 26 de Diciembre: Procesión triunfante que realiza la sagrada imagen desde la Ciudad de México hasta Tepeyac. Un Mexicano, muerto accidentalmente por una flecha, resucita frente a la imagen.

1533 Se construye en Tepeyac una capilla más grande, conocida como "La Segunda Ermita" para albergar a la sagrada imagen.

1539 Conversión de los mexicanos; 8,000,000 de aztecas abrazan la fé católica como resultado directo de la creación de la sagrada imagen.

1544 15 de Mayo: muerte de Juan Bernardino a la edad de 84 años en Tolpetlac.

1544 Peregrinaje de niños a Tepeyac que tuvo como resultado inmediato el fin de una plaga mortal que había matado solo en México a 12,000 personas.

RESUMEN CRONOLOGICO DE LOS EVENTOS

1545 Primer relato escrito por Don Antonio Valeriano acerca de las apariciones, el Nican Mopohua.

1548 Muerte de Juan Diego a la edad de 74 años en Tepeyac.

1556 La tercera ermita en Tepeyac es construída por Don Alonso de Montufar, O.P., segundo Arzobispo de la Ciudad d México.

1557 El Arzobispo de México establece canónicamente la verdad sobre las apariciones.

1570 Don Alonso de Montufar O.P envía un inventario del Arzobispado de México a Félipe II de España, incluyendo la capilla de Tepeyac. Una pintura de la sagrada imagen enviada al rey al mismo tiempo, juega una parte importante en la Batalla de Lepanto.

1629 Una desastroza inundación en la Ciudad de México ahoga a 30,000 habitantes. La sagrada imagen es conducida a la ciudad por medio de una procesión de botes y permanece en la catedral hasta que el agua es abatida.

1634 14 de mayo: La sagrada imagen regresa a Tepeyac en una enorme procesión de agradecimiento que marca el final de la inundación.

1709 Abril: Consagración solemne de la primera Basílica de Nuestra Señora de Guadalupe en Tepeyac.

1736 México fue sacudido por una plaga de tifo que reclamó 700,000 vidas.

1737 Abril 27: La plaga termina cuando Nuestra Señora de Guadalupe es proclamada Patrona del país. El día 12 de diciembre se establece como día santo y fiesta nacional.

1754 Abril 24: En Roma La Sagrada Congregación de Ritos, emite un decreto aprobando Oficio y Misa para Nuestra Señora de Guadalupe.

1754 Abril 25: El Papa Benedictino XIV emite un comunicado aprobando a Nuestra Señora de Guadalupe como Patrona de México y cita el Salmo 147: El no lo ha hecho así para todas las naciones.

1756 Primer examen serio de la sagrada imagen real realizado por el excelente pintor Miguel Cabrera y otros artistas, quienes declararon que sería imposible reproducirla perfectamente.

1777 Inician los trabajos en la Capilla del Manantial en Tepeyac, situada en el lado este de la plaza.

1791 Milagrosamente la sagrada imagen no resulta dañada, cuando es derramado accidentalmente sobre la delicada tela del retrato, ácido nítrico utilizado para limpiar el marco de oro y plata, dejando únicamente una ligera mancha de agua.

1802 Se erige una capilla en Cuautitlan, lugar de nacimiento de Juan Diego.

1821 Al final de la Guerra de Independencia Mexicana, el Emperador Agustín de Iturbide confía solemnemente el país al cuidado de Nuestra Señora de Guadalupe.

1890 Renovación de la Basílica de Nuestra Señora de Guadalupe.

1894 El Papa Leo XIII aprueba nuevo Oficio y Misa para Nuestra Señora de Guadalupe.

1895 12 de Octubre: Primera coronación de la sagrada imagen autorizada por el Papa Leo XIII.

1910 24 de Agosto: El Papa Pío X proclama a Nuestra Señora de Guadalupe Patrona de Latinoamérica.

1921 14 de Noviembre: Otra demostración milagrosa de la sagrada imagen cuando una bomba colocada, por agentes del gobierno anticlericales, explota debajo de ella, ni siquiera se cuartea su cubierta de vidrio.

1929 La silueta de un hombre reflejada en los ojos de la sagrada imagen descubierta apor Alfonso Marcué Gonzalez. Este hallazgo permanece sin publicar hasta 1960, bajo consejo de las autoridades del santuario.

RESUMEN CRONOLOGICO DE LOS EVENTOS

1933 12 de Diciembre: Misa Pontífice Solemne en San Pedro, Roma, en presencia del Papa Pío XI, quien reafirma la proclamación realizada por Pío X , Nuestra Señora de Guadalupe, Patrona de Latinoamérica.

1945 12 de Octubre: El Papa Pío XII conmemora el 50 aniversario de la primera coronación de la sagrada imagen transmitida por radio a los mexicanos.

1946 Investigaciones muestran que el retrato de Nuestra Señora está libre de trazos de pincel, indicando que no pudo ser pintado.

1951 El dibujante J. Carlos Salinas Chávez examina la sagrada imagen y descubre las imágenes en los ojos.

1955 Un joven en Tolpetlac, descubre la cruz de piedra que marca el lugar donde Juan Diego encontró a su tío moribundo.

1955 11 de Diciembre: Un anuncio por radio confirma que la imagen del hombre que reflejan los ojos del retrato es definitivamente la de Juan Diego.

1962 El Dr. Charles J. Wahlig y esposa, de Nueva York, descubren dos imágenes más en los ojos del retrato después de estudiar una fotografía de la cara de la sagrada imagen amplificada veinticinco veces. El Dr. Wahlig prueba científicamente por experimentos fotográficos la posibilidad de tales imágenes reflejadas en el ojo humano.

1966 31 de Mayo: El Papa Pablo VI envía una Rosa de Oro al santuario de Nuestra Señora de Guadalupe.

1975 Traslado de la sagrada imagen de la antigua Basílica, en peligro de hundimiento, a un templo moderno cercano.

1979 Enero: El Papa Juan Pablo II visita el santuario de Nuestra Señora de Guadalupe, el primer Pontífice en hacerlo.

1979 Mayo: Dos científicos americanos examinan la sagrada imagen con radiación infra-roja. Su reporte subsecuente confirma la naturaleza sobrenatural del retrato.

1981 450 aniversario de las apariciones: celebraciones a través de todo México.

1992 Beatificacion de Juan Diego 8 de Sep, por el Papa Juan Pablo II.

BIBLIOGRAFIA

Los siguientes volúmenes modernos son de particular importancia y han sido seleccionados de la vasta bibliografía que existe sobre Guadalupe.

Behrens, Helen, "El Tesoro de América, La Virgen de Guadaupe", impreso en México: Apartado 26732, México 14 D.F., 1964. También "La Señora y la Serpiente", 1966, por los editores anteriores.

Burland, C.A., "Arte y Vida en el México Antiguo", Oxford, 1947

Demarest, Donald y Taylor, Coley, "La Virgen Morena, El Libro de Nuestra Señora de Guadalupe". Una antología documental, Academy Guild Press, 1959.

Dyal, Paul, "Emperatríz de América", un folleto para el peregrino, Auto Viajes Internacionales, 1959

Keyes, Frances Parkinson, "La Gracia de Guadalupe", Nueva York, 1941.

Lee, Reverend George, "Nuestra Señora de Guadalupe", publicado en 1896

Rahm, Reverend Harold, "¿No estoy yo aquí?", A.M.I Press, Washington N.J., 1963

Taylor, Coley, "Nuestra Señora de las Américas," Columbia, diciembre 1958

Trappist Abbey Monks, "Nuestra Señora de Guadalupe: la Esperanza de América", Lafayette, Oregon.

Vaillant, G.C., "Aztecas de México", Pelican Books, 1965.

Wahlig, Dr. Charles “Manual sobre Guadalupe” 1974, y “Juan Diego”, 1972, ambos libros publicados por la Prensa Franciscana de Marytown.

White, Jon Manchip, “Cortés y la caída del Imperio Azteca”, Hamilton 1971.